Elio Vittorini
Erica und ihre Geschwister

Elio Vittorini
Erica und ihre Geschwister

Aus dem Italienischen von Joachim A. Frank

Verlag Klaus Wagenbach   Berlin

Die Originalausgabe erschien 1936 unter dem Titel
Erica e i suoi fratelli bei Giulio Einaudi editore in Turin.

Wagenbachs Taschenbuch 417

© 1936 The estate of Elio Vittorini
© 1975 Giulio Einaudi editore s. p. a., Torino
© 2001 für diese Ausgabe: Verlag Klaus Wagenbach,
Emser Straße 40/41, 10719 Berlin
Umschlaggestaltung Groothuis & Consorten
unter Verwendung eines Fotos von Doris Ulmann
Das Karnickel auf Seite 1 zeichnete Horst Rudolph
Gesetzt aus der Berling von der Offizin Götz Gorissen, Berlin
Gedruckt und gebunden von Pustet, Regensburg
Printed in Germany. Alle Rechte vorbehalten
ISBN 3 8031 2417 4

I

Als Erica in der großen Stadt ankam, war ein Krieg vorüber, es war Winter und kalt, und die Brunnen auf den
Plätzen waren zugefroren. Sie zog in ein finsteres Erdgeschoß ein, in einem Hof mit finsteren Balkons ringsherum,
die voll schreiender Kinder waren. Sie war selbst noch ein
kleines Mädchen, nicht älter als vier oder fünf Jahre, und
bald vergaß sie die Welt, in der sie früher gelebt hatte.
Aber sie hatte noch die gleichen Träume wie früher.

Besonders träumte sie von einer Traube, einer Traube
von zarter Farbe, gelb von der Kälte angehaucht, und
nicht von einer Traube zum Essen, sondern zum darin
Wohnen. Es gab da helle Wälder mit unsichtbaren Vögeln,
die sangen, und mit Kugeln von Fruchtfleisch, in die man
eintrat und in denen man glücklich wurde. Sie war allein
in einer Kugel, aber sie wußte, daß es allen gleich erging,
und fühlte eine melodische Gewißheit des Beieinanderseins, der Gesellschaft. Ja, das war das Glück: die Gesellschaft. Denn das Häßliche auf der Welt war für sie das,

was nicht sein konnte. Wenn es die Katzen nicht gäbe! dachte sie. Wenn es die roten Kleider nicht gäbe! Wenn es die Eisenbahn nicht gäbe! Sie dachte, dachte und war bestürzt. Und was ihr angst machte, waren nicht Wölfe, waren nicht Ungeheuer: es war, in einer Welt aufzuwachen, in der es etwas nicht mehr gab.

All das ging für sie auch in der großen Stadt weiter. Die lange Winterkälte endete, und der Frühling begann, der Sommer begann, es roch kräftig nach Meer, und die Matrosen von den Kriegsschiffen kamen jeden Nachmittag die Straßen herunter. Aus dem Ziegelwerk des Erdgeschosses krochen Schaben hervor, aber die Wärme war schöner, als sie in ihrer Erinnerung anderswo gewesen war. Im übrigen begannen die Winter wieder, es kam bald ein zweiter, es kam bald wieder ein dritter, Schnee fiel, und Erica träumte von Vögeln aus Schnee. Wunderbar war in den Träumen das Glück der Gesellschaft mit den Schneevögeln. Lebendiger wurde in ihr die Freude an dem, was war, und sie war selig darüber, daß es im Hof so viele Kinder gab, selig, in die Schule zu gehen, beim Bäcker das warme Brot zu holen, das Wasser vom Brunnen auf dem Platz zu holen, selig darüber, daß zu Hause ein Bruder geboren wurde.

Nun waren sie zu fünft in den zwei Zimmern des Erdgeschosses: Papa, Mama, sie, Lucrezia, die vier Jahre jünger war, und das eben erst geborene Brüderchen. Gewiß brauchte es noch Zeit, bis auch das Brüderchen Gesellschaft wurde. Aber was tat's? Der ganze Hof war eine eng verbundene Gesellschaft, Scharen von Kindern spielten im Schlamm des Torwegs, und lange Regenfälle folgten auf einen weiteren Sommer, Mama hängte die Kleider quer durch die Zimmer zum Trocknen auf.

II

Dies war die schönste Zeit, als die Kleider zum Trocknen im Haus hingen, während es draußen regnete. Man konnte nicht viel verrichten in dem beengten Raum, und die Mutter setzte sich mit den Kindern um den Ofen, duldete, daß Erica irgendein Mädchen von den Nachbarn mitbrachte, und erzählte Märchen. Später kam der Vater von der Arbeit, machte ein zufriedenes Gesicht wegen des Neuen, das er vorfand, und setzte, nachdem er die Mutter unterbrochen hatte, selbst die Erzählung fort. So vergingen die Winter, und Erica wurde sieben, wurde acht, wurde neun Jahre alt...

Der Vater arbeitete in einem Hüttenwerk, er war Monteur und verdiente ein eintöniges Brot. Bald begann Erica zu begreifen, daß sie arme Eltern hatte, gerade so, wie es in manchen Märchen hieß. Und sie begann, Vater und Mutter argwöhnisch zu beobachten, sie begann zu fürchten, daß sie böse werden könnten. Aus den Märchen wußte sie, daß arme Eltern böse werden, ihre Kinder in den Wald führen und dort verlassen. Und sie lauschte aufmerksam auf ihre Gespräche. Sie dachte, Papa würde sie nie in einem Wald aussetzen wollen, aber Mama sei vielleicht imstande, es zu wollen. Sie war nie vollkommen gut zu ihren Kindern gewesen und lachte nur, wenn Papa zu Hause war, ihn lachte sie an. Das kränkte Erica. Offensichtlich fand Mama nur bei ihm Gesellschaft. Und als sie eines Nachts die beiden hörte, wie sie im Dunkeln ihr Vergnügen aneinander hatten, und sie vergeblich rief und rief und sich nicht Gehör zu verschaffen vermochte, mißtraute Erica auch Papa und horchte noch aufmerksamer auf ihre Gespräche.

Und gerade vom »Elend« sprachen sie immerzu. Papa brauchte ein Paar Schuhe. Mama brauchte ein Hemd. Im Hüttenwerk hatten sie wieder die Löhne gekürzt, wenn sie noch weiter gekürzt wurden, konnte man nur noch Polenta und Sardellen essen. Doch was machte es schon aus, dachte Erica, Polenta und Sardellen zu essen? Was für ein Schrecken war das, daß sie ihn so sehr fürchten mußten? Was für ein Schrecken war das, verglichen mit dem, in einem Wald ausgesetzt zu werden und die Welt zu verlieren? Dieser Schrecken wuchs in Erica, weil sie ihn jeden Tag für möglicher hielt. In dem Vergnügen, das sie einander im Dunkel der Nacht bereiteten, wußte sie die beiden in einer geheimnisvollen, geheimen Gesellschaft, in einer Verschwörung, einem Einverständnis verbunden, das alle anderen und ihre Kinder ausschloß, und sie fürchtete sie immer mehr. Sie konnten durch diese Gesellschaft, die sie von allen absonderte, wirklich schrecklich werden. Und eiskalte Angst stieg in Erica aus ihrem Innern auf.

Was sollte sie tun, um sich und ihre Geschwister zu retten? Würde es ihr gelingen, sich und ihre Geschwister aus dem Dunkel eines Waldes nach Hause zu führen? Würde es ihr gelingen, den Weg zu kennzeichnen? Und wie der Knabe im Märchen legte sie sich einen Vorrat von Steinchen an. Sie wurde neun, zehn Jahre alt und gewann die Gewißheit, daß es ihr glücken werde. Sie glaubte nun, alle Wege zu kennen. Aber was war damit gewonnen, daß es ihr gelang, nach Hause zurückzukehren? Die Gespräche, die sie belauschte, wurden von Tag zu Tag angsterregender. Papa hatte sich während der Arbeit nicht gut gefühlt, was er zu Mittag aß, hatte seinen Hunger nicht gestillt, und in den letzten Stunden war ihm schwindelig geworden. Eine Erkrankung des Vaters wäre ein Unglück gewesen. Wenn man diese Kinder nicht hätte! sagte Mama. Und sie beklagte sich, daß sie ekelhaft mager geworden, daß sie keine Frau mehr sei, daß sie sich schäme, wenn er sie berühre...

Eines Winters gab es kein Feuer mehr im Ofen. Erica zitterte vor Kälte. Mama sprach vom Sterben. Zwei Tage lang gab es nicht einmal mehr Polenta zu essen. Die Kälte, der Hunger, das waren schon Schrecken der Verlassenheit, und Erica träumte von Schneevögeln, die sie zu Eis erstarren ließen. Alles war verdächtig, es gab keine Sicherheit mehr in der Gesellschaft der anderen. »Sie haben mir wieder den Lohn gekürzt«, sagte der Vater jede Woche.

Und die Mutter schrie. So, ja! Wie sollte es weitergehen? Sie klagte nicht mehr ihretwegen, sie klagte ihrer Kinder wegen. Lucrezia ging barfuß, Erica hatte unter dem Kleid nichts an …

Aber das nahm Erica nichts von ihrer Angst. Im Gegenteil. Sie wußte, daß sich die Eltern gerade in einer solchen Lage dazu entschlossen, ihre Kinder zu opfern. Immer töteten sie weinend … Und in diesem Erbarmen fühlte sie die tiefste Verdammnis.

Sie war zehn Jahre alt, sie dachte daran, mit den Geschwistern zu fliehen. Aber Lucrezia nahm sie nicht ernst, als sie versuchte, ihr die Gefahr zu erklären, die ihnen drohte. Lucrezia fürchtete sich vor nichts, sie begriff nicht, daß sie arm waren, sie verstand nicht einmal, daß Kälte und Hunger herrschten. Seltsam! Lucrezia war wie sie, als die Gefahr noch nicht bestand. Und Erica hatte den Verdacht, daß es die Gefahr schon immer gegeben, daß schon immer Kälte und Hunger im Haus geherrscht, daß Papa und Mama schon immer diese verzweifelten Gespräche geführt hatten. Gott! dachte sie. War sie angesichts einer solchen Gefahr ahnungslos gewesen? Hätte sie wehrlos und ahnungslos in einem Wald ausgesetzt werden können?

III

Sie wurde dann elf, zwölf Jahre alt. Herrliche Sommer kamen, Papa ging pfeifend durch den Hof, wenn er heimkam. Es war eine Zeit des Aufatmens. Erica spielte auf dem Gelände, das sich als BAUGRUND ZU VERKAUFEN hinter den Gebäuden des Hofes erstreckte; sie wuchs und sie ging mit kleinen Freundinnen zum Strand, um die Badenden zu sehen. Sie war, wie gesagt, elf Jahre alt. Sie schwamm sogar mit ihren Freundinnen und war sicher, daß sie kein Kind mehr war, das man aussetzen konnte.

Auf diese Weise, durch diese Selbstsicherheit, befreite sie sich von der alten Angst. Und in ihrer Selbstsicherheit fühlte sie auch die Schwester Lucrezia und das Brüderchen in Sicherheit. Aber sie blieb mißtrauisch gegenüber der Mutter und dem Vater, sie sah in ihnen immer noch gefährliche Tiere voller Hunger, und so verging die Zeit bis zu einem weiteren Sommer.

Sie wurde zwölf Jahre alt. Die Angst von früher ließ ihr Herz nicht mehr rascher klopfen, aber immer noch betrachtete sie argwöhnisch die vor Entbehrungen finsteren Gesichter der Mutter und des Vaters. Es war Ironie in ihrem Argwohn, denn sie fühlte sich ihrer selbst sicher. Und sie war verständig; sie hegte keinen Groll gegen sie.

Sie war zwölf Jahre alt, sie hatte aufgehört, zur Schule zu gehen, und wurde klug, aufmerksam, anstellig; sie konnte die Mutter schon bei allen Arbeiten ersetzen. Die Mutter fand nie etwas an ihr zu tadeln, behandelte sie aber im übrigen immer noch wie ein Kind. Sie sprach nicht mit ihr, lächelte ihr nie zu, sah sie nur hin und wieder mit einem abwesenden Blick an.

»Schade, daß sie kein Junge ist«, hörte sie sie einmal zum Vater sagen. »Sie könnte dir schon helfen, Geld zu verdienen.«

Es war wieder Winter, und wieder gab es kein Feuer im Ofen. Der Vater zuckte die Schultern. Es war nicht gesagt, daß sie Arbeit gefunden hätte, wenn sie ein Junge gewesen wäre. Und im Haus begannen Gespräche über den Arbeitsmangel. Niemand stellte mehr Arbeiter ein. Wer Arbeit hatte, der hatte eine, und wer sie verlor, der war verloren. Man zählte schon die Betroffenen, dieser und jener, und jeden Tag erfuhr man von einem neuen... Man sprach wie von einer Epidemie, die um sich griff. Und der ganze Winter ging vorüber. Die Menschen aus den Wohnungen um den Hof herum drückten sich mit trüben Gesichtern hastig an den Mauern entlang. Erica bemerkte, daß sie sich untereinander nicht mehr Gesellschaft leisteten, daß sie einander kaum grüßten, so als hätte jeder

Angst vor dem anderen. Und es geschah, daß in einer Wohnung im dritten Stock die Frau eines Arbeiters starb. Der Arbeiter war alt, er blieb an diesem Tag bei seinen Kindern, und als er dann zur Arbeit zurückkehrte, fand er, daß er sie verloren hatte. Kaum daß einer einmal einen Tag nicht zur Arbeit gehen kann, hat er sie am nächsten Tag auch schon verloren, sagte der Vater.

Der Sommer brachte keine Erleichterung, die angsterregenden Gespräche gingen weiter. Im Hof waren zwei Familien betroffen, und die Hausherren konnten sie nicht hinauswerfen, aber man trug ihnen die Möbel weg und sperrte ihnen das Gas und das Licht. Und Erica hörte ihren Vater sagen, daß auch im Hüttenwerk die Entlassungen begonnen hatten, fünf auf einmal, fünf in der Gießerei. Nun mußten sie einigen Monteuren kündigen, zwangsläufig, um das Gleichgewicht zwischen den Gießereiarbeitern und den Monteuren wiederherzustellen; und er war Monteur. Erica bemerkte, daß das Gesicht der Mutter abgezehrt aussah.

»Aber du hast doch nichts zu befürchten«, sagte die Mutter. »Du bist einer der Besten.«

Der Vater schüttelte den Kopf. Es ging hier nicht um die Besten. Im übrigen kam es nicht einmal darauf an, arbeitslos zu sein. Mit Arbeit, ohne Arbeit, man verhungerte so oder so. Sie hatten den Stundenlohn um weitere 20 Centesimi gekürzt. Das hieß 1,60 weniger pro Tag. Das hieß 9,60 weniger pro Woche. Und was sollte man noch weniger essen?

»Weniger essen?« rief die Mutter.

Es war gerade Essenszeit, und auf den Tisch kamen Polenta und ein wenig Zichorie. Jeden Tag Polenta und Zichorie. Vogelfutter war das. Was sollte man noch weniger essen?

»Ich werde als Bedienerin gehen«, sagte die Mutter.

Sie fand Arbeit als Geschirrspülerin in der Familie eines Steuerbeamten: Jungverheiratete, die auch am Hof wohnten, aber im vornehmen Stockwerk mit einem Fenster auf den Platz hinaus. Der Mann hatte Koteletten und trug einen violetten Hut, die Frau, eine Art von dickbäuchigem Kind in einem geblümten Morgenrock, sang auf dem Sofa Worte aus *La Traviata* und begleitete sich auf der Mandoline. So verdiente die Mutter acht Lire wöchentlich von den 9,60 Lire wieder zurück, die der Vater in der letzten Zeit verloren hatte. Und Erica war dreizehn Jahre alt. Der Sommer neigte sich dem Ende zu, über den Platz ging man, um Wasser zu holen, über die welken Blätter der Ulme, die in der Mitte stand. Erica holte oft Wasser; sie war nun dreizehn, man bemerkte schon den Busen: die Jungen auf Fahrrädern strichen in eleganten Kurven um sie herum.

IV

Daß die Mutter das Geschirr der Dickbäuchigen spülte, war aber bald sinnlos. Der Lohn wurde um weitere zehn Centesimi die Stunde, das heißt um weitere achtzig Centesimi den Tag, das heißt um weitere 4,80 Lire die Woche gekürzt. Trotzdem war der Vater zufrieden, weil er immerhin noch Arbeit hatte. Man hatte vier Monteuren und noch einmal fünf Gießereiarbeitern gekündigt. Alle vierzehn Tage gab es nun Entlassungen. Im Hof waren drei Familien betroffen, die beiden frühesten nicht mitgerechnet, die an einen Ort übersiedelt waren, wo eine Straße gebaut wurde. Aber ob betroffen oder nicht betroffen, man erlebte in jedem Haus um den Hof mehr oder weniger dasselbe. Auch wer arbeitete, konnte beispielsweise das Licht nicht bezahlen, und man drehte es ihm ab. Nur die Fenster der »vornehmen« Stockwerke, wo die Straßenbahnschaffner, die Zugführer, kurz die »Herren« wie die wohnten, für die Ericas Mutter das Geschirr spülte, strahlten abends im elektrischen Licht.

Noch war es zum Glück nicht kalt. Es war Oktober, es war November, es sah so aus, als sollte es einen milden Winter geben. Die Arbeiter saßen im Dunkel der Treppenhäuser, in den Erdgeschossen, in der Luft flatterten Fledermäuse umher; und keiner sagte ein Wort, nicht einmal die Kinder. Nur ein Radio aus einem »vornehmen« Stockwerk erhob seine ahnungslose Stimme. Und dann begann etwas Neues.

Autos kamen an mit einem prächtigen Rauschen von Reifen, sie hielten vor dem Torweg, und große Herren betraten den Hof, vornehme, schöne, selbstsichere Leute. »Wie merkwürdig!« riefen sie. Sie fragten, wo die Arbeitslosen seien. Irgendeiner aus dem Hof zeigte es ihnen: da und da und dort. Und die fröhliche Gesellschaft ging dahin und dorthin, und man hörte die warmen Stimmen der eleganten Damen in den Zimmern. Sie spendeten zehn Lire und abgelegte Hemden oder Unterhöschen aus Seide. Auch die Wohnung Ericas betraten sie, denn sie unterschieden nicht zwischen Arbeitslosen und Nichtarbeitslosen, wenn ihnen nicht jemand die Räume zeigte. Und Erica war glücklich. Eine Dame war wie eine Königin, und sie bat sie um etwas zu trinken. Aber dieses Glück wollte die Dame ihr nicht gönnen. Sie reichte ihr zehn Lire. »Oh, ich bin nicht arbeitslos«, sagte Erica; sie wollte sie nicht nehmen. Die ganze Gesellschaft lachte, und die Dame steckte das Zehnlirestück wieder ein und gab ihr eins zu zwei Lire. »Was für ein schönes Mädchen, nicht?« sagte sie. Und zu ihr sagte sie, sie solle sich Bonbons kaufen.

Erica kaufte sich eine Zahnbürste. Sie war dreizehn Jahre alt, im Sommer sollte sie vierzehn werden, und sie hielt die ganze Wohnung in Ordnung. Die Mutter hatte noch eine andere Familie gefunden, in der sie das Geschirr spülte. Der Winter schritt fort, es wurde Januar, die Mutter verdiente fünfzehn Lire die Woche, der Vater ungefähr siebzig, und der Januar war alles andere als mild. Er war sogar schrecklich. Der Brunnen auf dem Platz fror zu, und die Fenster erblindeten. Man brauchte unbedingt ein wenig Feuer. Und der Vater hatte einen Einfall.

Halb im Hof und halb auf einem steinigen Hang, der zu einer Kaserne hinaufführte, stand eine verlassene Hausecke. Sie war der Rest eines alten Abbruchgebäudes, den man nicht niedergerissen hatte, um die Eingrenzung des Hofes nicht zu unterbrechen. Sie sah auch gefährlich aus. Sie hatte eine kleine Außentreppe mit einem Geländer, das nur noch an drei Stellen hielt, weil die Kinder darauf herumkletterten. Von hinten, wo sich der BAU-GRUND ZU VERKAUFEN erstreckte, waren zwei offene Zimmer im Querschnitt zu sehen, eins unten, eins oben, mit Tapeten an den Wänden. Erdgeschoß, erster Stock und der Anfang eines zweiten Stocks. Mörtelschutt häufte sich unten an wie Laub am Fuße eines Baumes in einem ewigen Herbst. Der Vater hatte also eine Idee. »Wißt ihr, was?« sagte er. »Wir werden uns dort einrichten, dann zahlen wir keine Miete mehr. Niemand wird uns fortschicken. Und mit dem Geld für die Miete können wir es uns warm machen.«

»Man wird sehen müssen, ob es dort einen Ofen gibt«, sagte die Mutter.

Aber es war eine glänzende Idee. Nachts ins Werk zu setzen. Und der Vater ging in der ersten Nacht auf Erkundung aus. Erica erwartete wach, glücklich vor Erregung, seine Rückkehr. »Alles in Ordnung«, sagte er, als er kam. Türen und Fenster waren verschlossen gewesen, und er war über die Ruinen dahinter hinaufgestiegen und durch eine Verbindungstür von den demolierten Wohnungen aus eingetreten. »Es sind nur zwei Zimmer«, sagte er, »aber in bestem Zustand, eins unten und eins oben. Das obere ist vielleicht nicht brauchbar. Vielleicht regnet es hinein. Aber das untere ist groß. Und es gibt eine Küche und einen Ofen.«

In der zweiten Nacht ging die ganze Familie hinüber, mit der Taschenlampe … Der Vater öffnete von innen die Tür auf den Hof. Und die Kinder halfen in fieberhafter Erregung, die Möbel aus dem alten in das neue Haus zu tragen. Die Kälte ließ das Licht der Lampe einfrieren. Alles war gleich finster, drinnen wie draußen. Einfach herrlich, dachte Erica. Und in dieser Nacht hörte sie auf, den Eltern zu mißtrauen; sie empfand sie als ihre Komplizen; ebenso fröhlich wegen des Abenteuers wie sie.

V

Der Winter ging angenehm weiter im neuen Haus. Niemand sagte etwas über diese Besetzung. Die anderen im Hof machten eine Miene, als wollten sie sagen: »Sieh einmal an!« Und sie lächelten und schienen ihnen nicht böse zu sein wegen dieser Idee, die sie nicht gehabt hatten. Die ganze Familie lebte in dem Zimmer im Erdgeschoß: das obere Zimmer wurde nur als einfacher Abstellraum benutzt, die Decke war an einer Stelle eingebrochen, und es hatte die Tür, durch die der Vater eingedrungen war und die sich ins Leere öffnete. Die Kinder machten daraus ein Zimmer der Geheimnisse. Erica richtete sich ein Lager her, und sie öffnete die Tür ins Leere und rief den Kindern zu, die auf dem BAUGRUND ZU VERKAUFEN spielten.

Brennesseln wuchsen auf diesem Gelände, es war eine Art Grassteppe.

Und der Winter verging mit reichlich Holzfeuer im Ofen. Man kochte mit Kohle, man hatte Petroleumlicht.

Mutter und Vater waren von einer Leidenschaft ergriffen worden, Vorräte anzulegen, und sie gaben das Geld für die Miete, die sie nicht mehr zahlten, aus, um Kohle, Holz und Petroleum im oberen Zimmer zu horten.

»Gut, gar nicht übel«, meinte der Vater. Er war zufrieden über die Stille. Er ging hinauf, stieß die Tür ins Leere auf und sah, die Hände in die Hüften gestemmt, in die Ferne. Er rauchte gern, er hatte in diesen letzten Jahren sehr wenig geraucht, jetzt begann er wieder, sich seine Pfeife zu stopfen. »Und du könntest aufhören, für diese Ekel das Geschirr zu spülen«, sagte er zur Mutter.

»Mein Lieber«, antwortete die Mutter, »ich möchte Erica ein Kleid machen.« Erica war rasch gewachsen, und das Kleid, das sie trug, reichte ihr nicht mehr bis zu den Knien. Als sie erfuhr, daß ihr die Mutter ein Kleid machen wollte, hüpfte sie vor Freude. Ob sie ihr ein rotes machte? Sie wünschte sich so sehr ein rotes Kleid. Sie bekam ein rotes, und der BAUGRUND ZU VERKAUFEN war rot von Mohn. Der Himmel füllte sich mit neuen Vögeln. Das Radio lud unterdessen zu Reisen und Sommerfrischen ein. Dann kam der Vater plötzlich mit einem finsteren Gesicht von der Arbeit heim.

Es war Samstag. »Was ist geschehen?« fragte die Mutter. Der Mann warf sich auf einen Stuhl und legte den Kopf auf die Seite. »Also doch«, sagte er. Was sollte das heißen? Man brachte ihm zu essen. Es war keine Polenta, aber mehr oder weniger das gleiche. Im Sommer konnte man nicht Polenta essen. Außerdem war Samstag. Es war das gekochte Rindfleisch des Samstags, das den Hunger nicht stillt. »Verdammt!« sagte er. Er aß ein wenig und hörte gleich wieder auf.

»Nun?« fragte die Mutter beunruhigt.

»Nun, verdammt!« sagte er. »Letzten Endes ist es ja nicht wichtig, keine Arbeit mehr zu haben!«

Einen Augenblick hörte man nicht mehr das Klirren des Bestecks auf den Tellern, dann fragte die Mutter, leise, wie um von draußen nicht gehört zu werden: »Du hast keine Arbeit mehr?«

Ja, er sei arbeitslos, schrie der Vater. Und was weiter? Deswegen brauche man ihn nicht mit solchen Gesichtern anzusehen. Er schrie, als regte er sich über eine eigene Schuld auf. Dann ging er.

Aber am nächsten Tag war er freundlich. Er sagte, er werde fortgehen. Weit oben in den Bergen bauten sie Straßen. Er wollte sich seinen Lohn da oben verdienen. Das war zwar nicht sein Handwerk, aber es gehörte nicht viel dazu, mit einer Schaufel umzugehen. Man durfte sich nicht vom Elend unterkriegen lassen, mußte sofort etwas dagegen tun. Ihnen wollte er die Hälfte seines Lohnes schicken.

»Wir können mit dir kommen«, sagte die Mutter.

Aber er wollte nicht. Mit ihm kommen? Arbeiten, das sei jetzt wie an der Front sein, sagte er. Die Arbeit war den einen Augenblick hier, den andern dort, und man mußte hinter ihr herlaufen. Wie soll eine ganze Familie laufen?

Die Mutter begann damit, daß es sich für ihn nicht

lohnte fortzufahren. Nein, es lohnte sich nicht, daß er arbeitete. Nicht von dem, was er durch Arbeit verdiente, lebte man. Nicht durch das Vogelfutter, das man aß, hielt man sich auf den Beinen, sondern durch ein Wunder. Und da man schon von Wundern sprach: es war nichts verloren, wenn die Arbeit verloren war. Sie schrie immer lauter und redete und redete. Nein, es war nichts verloren, wenn man die Arbeit verlor! Man würde so oder so durchkommen, auch ohne das Vogelfutter, das man aß. Und im übrigen gebe es doch eine Arbeitslosenunterstützung, oder? endete sie mit plötzlich gebrochener und leiser Stimme. Und gab es nicht Tausende von Arbeitern, die seit Jahren arbeitslos waren?

Aber der Vater machte: »Brrr! Die Arbeitslosen!« Und es war klar, daß er auf alle Fälle fahren werde.

VI

Die Mutter war geistesabwesend nach seiner Abreise. Sie war immer ein wenig geistesabwesend gewesen, ein wenig verloren in den Dingen des Alltags; aber wenn der Vater aus der Werkstatt nach Hause gekommen war, hatte sie sich gefaßt, war sie wieder lebendig geworden, und es war ihr sogar gelungen, fröhlich zu sein. Jetzt sah es so aus, als wollte sie nie wieder sprechen. Sie kam, sie ging ihrer Arbeit nach, und wenn sie heimkam und fand, daß etwas im Haus zu tun war, packte sie Erica und schüttelte sie mit verkniffenen Lippen und knurrte wütend, daß es fast wie ein Stöhnen klang, ohne ein Wort.

Erica sah, daß sie ihre Kinder haßte, weil sie bei ihnen hatte bleiben müssen. Freilich! Wie sollte eine ganze Familie laufen? hatte der Vater gesagt. Und die Familie waren natürlich sie; drei Kinder, eine regelrechte Bande. Sie waren das Hindernis und machten es unmöglich, mit ihm hinter der Arbeit herzulaufen. Oh, die Mutter nicht, sie allein wäre keine Familie gewesen! Sie wäre gelaufen wie eine Häsin mit ihren langen Beinen und den großen Füßen einer großen und mageren, ein wenig gebeugten und schlaksigen Frau! Und wie sie von Ort zu Ort gelaufen wäre! Um sich abends, schwupp, in ein Loch zu werfen mit dem Mann, der ihr Vater war!

Erica stellte sie sich sehr gut vor. Eine Häsin! Und zum erstenmal sah sie, daß sie im Grunde noch eine junge Frau war. Sie lernte, ihr, ohne gesehen zu werden, in die Augen zu schauen, und sah, daß sie wie ein Mädchen war, dem man da in die Augen schaute. Beinahe wie die Mädchen, die ihre Freundinnen waren. Dazu kam noch eine Spur von Wildheit, ein Spalt, der sich auf eine verborgene Möglichkeit der Gefahr und Wildheit öffnete. Und die Gefahr drohte ihnen, den Kindern.

Erica sah es wohl: die Mutter haßte sie, weil sie sie daran hinderten, mit dem Vater zu laufen, und sie zurückhielten in diesem Hof ohne Vater. Sie war jetzt vierzehn Jahre alt. Und sie schöpfte wieder den alten Verdacht, in einem Wald ausgesetzt zu werden und so fort, sie dachte ernstlicher darüber nach. Ja, die Mutter hatte einen Dämon gegen sie in ihren Mädchenaugen. Einen Wunsch, daß es sie nicht geben solle. Etwas wie eine mörderische Lust. Sie verbohrte sich, sie verbohrte sich in ihre Arbeit bei »diesen Ekeln« für sie und ihr Brot, ihre Milch, ihr Rindfleisch, aber immer mit dieser blutigen Lust in dem verborgenen zornigen Licht der Augen.

Das erste Geld vom Vater war gekommen, und es war sehr wenig gewesen. Er hatte sich da oben einen neuen

Gewerkschaftsausweis kaufen müssen, sagte er. Und so rackerte sie sich ab, um Böden zu scheuern und schmutziges Geschirr zu spülen. Erica wußte es, weil die Mutter zu ihr gesagt hatte: »Lies mir das vor.« So als hätte sie einen Abscheu vor dem Lesen. Und sie wußte alles, was der Vater geschrieben hatte. Sie, die wegen ihrer Trennung Gehaßte, war eine seltsame Vermittlerin der derben Intimität, die der Vater aus seiner Ferne der Mutter in unbeholfenen, geheimen Worten zu erkennen gab. »Und ich glaube, eine ordentliche Balgerei würde uns sehr wohltun«, las sie, zum Beispiel; aber in ihrem Innern las sie nichts Unförmiges, nichts, was die Zartheit ihres Herzens beschmutzt hätte, sie las es etwa wie »ein tüchtiger Schluck«, eine »gute Mahlzeit«, ein »Bummel«; auch das waren Worte, die der Vater gebrauchte; obwohl sie nun kein Kind mehr war, das zu vieles nicht wußte. Schließlich hatte sie nie zu vieles nicht gewußt seit der Zeit, in der sie nachts wach gelegen war bei dem Lärm fröhlicher Gesellschaft, die Vater und Mutter einander, abseits von ihren Kindern, im Bett leisteten. Aber nie war das, was sie sehr wohl wußte, etwas gewesen, was sie angezogen und ihr Herz beschmutzt hätte; es hatte ihr nie etwas bedeutet. So konnte sie lesen, was immer sie wollte, und behielt keinen Eindruck davon zurück. Sie war weich, sie war Töpferton, und doch glitt alles von ihr ab wie Wasser.

»Die Luft ist gut in diesen Gegenden«, schrieb der Vater, »und wir sind alle bei guter Gesundheit und führen uns auf wie junge Männer... Wir sind alle in meiner Lage und denken an die ferne Familie, außer einigen Junggesellen, die an die Verlobte denken und sich mit den Bäuerinnen von hier vergnügen, die Slawinnen sind und uns sehr anziehen. Aber ich bitte Dich, hab keine Angst meinetwegen, denn Du weißt, mir gefallen die dunkelhaarigen Frauen, und hier sind sie blond mit einem Fleisch wie Kuheuter. Ich kann Dir nicht schwören, daß ich nichts anstellen würde, wenn ich eine schöne Dunkelhaarige zu fassen bekäme, aber Dunkelhaarige gibt es hier keine, und so kannst Du ruhig schlafen.« Er schrieb auch, daß der Lohn niedrig war, daß er um Vergebung bitte, wenn er knapp fünfzig Lire für zwei Wochen schicke, ihm blieben nur sechzig, und davon könne er kein lustiges Leben führen. Er beklagte sich sehr und protestierte und war ständig aufgebracht gegen die »Mistkerle«, vor allem gegen einen Journalisten, der ihn über sein Leben ausgefragt und »ein Beispiel« genannt hatte. »Und er hat mich ein Beispiel genannt, der Mistkerl, denn er sagt, so bin ich ein wahrer Freund der Regierung: mit zwei Lire am Tag leben und den Rest der Familie schicken. Man leidet an allem und entbehrt auch die Frau, und diese Mistkerle reiben sich die Hände.« Aber da er schrieb, daß sie nie lange an einem Ort blieben, daß sie mit der Straße weiterzogen, in Baracken schliefen und sich das Essen im Freien zubereiteten, kümmerte sich Erica nicht allzusehr um die Klagen und Proteste und dachte, daß der Vater an einem wunderbaren Spiel teilnahm und daß er eine Art Zigeuner geworden war.

Doch der Vater gehörte ihr nicht, er hatte ihr nie gehört. Nie hatte er sie auf seine Knie gesetzt, als sie noch klein gewesen war. Er war immer ein guter Mann gewesen, der wohl auch mit seinen Kindern scherzte und ihnen ein Stück von einem Märchen erzählte, besonders damals, als die Wäsche zum Trocknen in der Wohnung hing, aber sein Leben war immer eine Sache zwischen ihm und der Mutter gewesen. So sah Erica nun, da er eine Art Zigeuner geworden war, den Zauber, der von ihm ausging, nur als eine Kraft, die die Mutter lockte. Sie sah mit ihren Augen, die noch die eines Kindes waren, das Herrliche des Spiels und fühlte sich dadurch bedroht. Es war herrlich, es war wunderbar, aber es war nur für die Mutter da. Wie sollte eine ganze Familie mitlaufen? hatte es geheißen. Nein, daß eine ganze Familie mitlief, war nicht möglich. Und daß sich die Mutter damit abgefunden hatte, nicht mitzulaufen, zeigte gerade, daß es für ihre Kinder keine Hoffnung gab.

Aber dieser zum Zigeuner gewordene Vater rief. Es war zu stark, ein unwiderstehlicher Lockruf, und die Klagen und Proteste waren laute, hohe Geigentöne, die ihn noch unwiderstehlicher machten. Die Resignation der Mutter, nicht mitzulaufen und zu bleiben und für sie zu arbeiten, konnte von einem Augenblick zum andern zerbrechen und enden. Was geschah dann? Erica fragte es sich mit der gleichen Angst wie damals, als sie fürchtete, in einem Wald ausgesetzt zu werden. Aber sie war ruhig, sie war vernünftig, und sie dachte nach. Sie stand hinter den

Fensterscheiben, sie lag auf ihrem Spielbett, in dem Zimmer, das sich ins Leere öffnete, der Sommer war vergangen, das zum Verkauf angebotene Baugelände war kahl; und sie dachte nach. Was sollte dann geschehen?

VII

Es war an einem Sonntag, Erica hatte mit Freundinnen ausgemacht, einen Vergnügungspark in einem fernen Stadtviertel zu besuchen, aber sie war zu spät zum Ort der Verabredung gekommen und hatte niemanden mehr angetroffen, sie hatte angefangen, verärgert umherzugehen, und hatte sich müde gefühlt, und nachdem sie die Plakate zweier Kinos betrachtet hatte, war sie nach Hause zurückgekehrt.

Die Sonne ging hinter dem zu verkaufenden Baugelände unter, und der Hof schien unbewohnt zu sein. Erica stieß die Tür auf; sie verhielt sich, ohne es zu wollen, leise und ging geradewegs um ein Glas Wasser in die Küche. Plötzlich hatte sie eher Lust, sich zu setzen als zu trinken, und sie setzte sich auf den einzigen Stuhl, nachdem sie das Gemüse beiseite geschoben hatte, das darauf lag. Sie war müde und verärgert, sie hätte den Hof gern voller Stimmen gehabt und sich ans Fenster gesetzt und hinausgeschaut. Aber durch die offene Tür sah sie im Zimmer die Mutter.

Sie war gekämmt, gewaschen, saß am Tisch mit einem Blatt Papier vor sich und tat mit der Feder etwas Schwieriges auf dem Papier, so als quetschte sie sich, Tropfen für Tropfen, Blut aus der Handfläche. Erica verstand: sie schrieb dem Vater. Sie hatte nie daran gedacht, daß sie ihm schreiben könnte, glaubte, sie sei dazu gar nicht imstande, wie sie seine Briefe nicht zu lesen imstande war. Jedesmal wenn ein Brief vom Vater kam, einmal die Woche oder alle zwei Wochen, sagte sie zu ihr: »Lies mir das vor!«, immer und immer wieder, und nach und nach, mit der Gewöhnung, nicht mehr so, als hätte sie einen Abscheu vor dem Lesen, sondern einfach so, als könnte sie nicht lesen. Und Erica hatte gelesen und las, ohne je daran zu denken, daß man auch schreiben mußte. Und bei dem ständigen Lesen der Briefe hatte sie nicht einmal bemerkt, daß sie da und dort Fragen enthielten, daß da und dort Antworten standen. Erica sah nur die Gefahr durch den Vater, der ein Zigeuner geworden war und mit der klagenden Schilderung seines Zigeunerlebens auf die Mutter den Zauber eines Lockrufs ausübte. Aber jetzt begriff sie und fand, daß es natürlich war. Und sie begriff, daß die Mutter nicht zum erstenmal in ihrer langsamen, harten Mühe vor diesem Tisch saß. Und sie war gerührt und erschrocken.

Gerührt, hätte sie beinahe unsichtbar in sie eindringen und mit der ihr eigenen Leichtigkeit im Schreiben für sie schreiben mögen. Aber erschrocken zitterte sie wegen der unbekannten Worte, die in dem immer dunkler werdenden Zimmer langsam blutend aus der hartnäckigen, schweren Hand der Mutter hervorquollen. Sie beobachtete sie. Sie sah diese Frau, ihre Mutter, mit dem schönen, gekämmten, kastanienbraunen Kopf, dem langen, gewaschenen, ein wenig pferdeähnlichen Gesicht über das kleine Blatt Papier gebeugt, das nie voll wurde, und dachte an die Drohung, die sich in ihr verbarg. Natürlich konnte sie ebenso lesen wie schreiben. Und wenn sie wollte, daß sie, die Tochter, ihr die Briefe des Vaters vorlas, so konnte es nur das Fieber sein, sofort zu erfahren, was darin stand. Sie hätte einen halben Tag gebraucht, um sie selbst zu entziffern. Aber die Sehnsucht, gleich nach ihrem Eintreffen zu erfahren, was darin stand, erlaubte ihr nicht abzuwarten, bis sie selbst sie las, drängte sie dazu, sich der Tochter preiszugeben, und so schien es, als hätte sie einen Abscheu vor dem Lesen. Arme Mama! dachte Erica, und sie wußte nicht, woher ihr das kam. Nach und nach verging die Zeit, und im Hof kreuzten sich die ersten Stimmen der Leute, die von dem fernen Feiertagsnachmittag zurückkehrten. Das war trostreich, eine Wärme der Welt, und machte Erica Mut, obwohl die Dunkelheit in der Küche um sie her zunahm und ihr schon über dem Kopf zusammenschlug. Arme Mama, wie glücklich sie gewesen wäre, dorthin zu laufen, wo der Vater war! Oft war sie, Erica, so ruhig und vernünftig. Und so begann auch die Angst in ihr, vernünftig zu überlegen.

Was war letzten Endes zu befürchten? Das Ausgesetztwerden im Wald, das war ein Märchen. Die Wirklichkeit der Gefahr war, daß die Mutter fortgehen wollte, laufen wollte, und daß die ganze Familie nicht laufen konnte. Aber was für eine Gefahr war das? Sie konnte das Haus und die Stadt nicht mitnehmen, wenn sie eines Tages fortlief. Die Kinder würden nicht allein sein wie in einem Wald. Sie würden in diesem Haus und in diesem Hof bleiben, die ihr Leben waren. Natürlich wäre es schön gewesen, wenn auch sie, die Kinder, hätten Zigeuner werden können, aber es stand fest, daß sie es nicht konnten, und dagegen war nichts zu machen. Der Vater rief mit der Schilderung seines Zigeunerlebens und mit seinen Klagen, mit seinen Protesten, mit seinen Beschuldigungen, aber er rief nicht sie, die Kinder. Nur die Mutter konnte dieses andere Leben haben. Er hatte geschrieben, daß eine Frau zu einem seiner Kameraden gekommen war, daß eine andere Frau zu einem anderen seiner Kameraden kommen werde; aber er hatte nie geschrieben, daß Kinder gekommen waren. Wenn die Kinder nicht wären! hatte er vielmehr geschrieben. So war also nichts zu machen. Das Leben mußte für sie, die Kinder, das sein, das sie hier hatten, in einem Haus, in einer Stadt; und es war nicht häßlich. Den Kindern gefiel es, und das Häßliche war immer nur das Elend gewesen, von dem die Großen soviel Aufhebens gemacht hatten. Das Elend existierte für die Kinder nur durch die Großen. Vielleicht gab es für sie nicht einmal die Kälte, wenn die Großen nicht von ihr sprachen.

Aber Erica war nicht sicher, daß die Mutter davonlaufen wollte. Sie hielt es sogar für unmöglich. Sie rackerte

sich für sie ab in ihrem Dienst, spülte schmutziges Geschirr, scheuerte Fußböden und fühlte sich an all das gebunden, dazu verdammt. Und das war allerdings eine Gefahr: daß sie sich dazu verdammt fühlte zu bleiben und
nicht wegzulaufen wegen des Brotes und des Fleisches für
ihre Kinder. Denn ein Dämon kämpfte in ihr, und ein
Wunsch, daß sie nicht da wären, wuchs in ihr und nährte
sich von dem Haß wie eine mörderische Lust. Sie könnte
sie eines Tages auch töten wollen, wenn sie sich an sie gebunden fühlte, solange sie lebten. Eines Nachts könnte sie
aus ihrem Bett steigen und sie im Schlaf erwürgen. Das
war die wirkliche Gefahr. Und daß sie davor im Innersten
zitterte, wurde Erica endlich gewahr. In all ihrer Besorgnis
wegen dessen, was die Mutter ersehnen könnte, war nichts
anderes als diese elementare Angst. Ohne sie zurückzu-
bleiben, nein, das machte nichts aus. Es war vielmehr die
Rettung! Oh, sie mußte fahren!

VIII

Aber die Mutter rackerte sich weiter ab in ihrem Dienst, und sie war bleich vor Erschöpfung, sie war ungekämmt, sie wusch sich wochenlang nicht das Gesicht. Man sah, daß sie nicht fortlaufen wollte. Sie haßte sie und lief nicht fort. Sie haßte sie so sehr, daß sie die Kinder hätte töten können, und konnte sie dennoch nicht verlassen. Denn sobald sie sie allein gelassen hätte, wäre sie ihretwegen verzweifelt. Das war etwas, was man sah. Man sah es besonders daran, wie sie plötzlich ihren Letztgeborenen, den kleinen siebenjährigen Alfredo suchte, wenn sie nach Hause kam und ihn nicht vorfand; daran, wie sie ihn voll Angst im ganzen Hof rief, und daran, wie sie ihm beim Essen den Teller vorsetzte. Sie hing sehr an ihrem Kleinsten. Aber sie haßte ihn auch mehr als Lucrezia oder sie. Immer zog sie ihn an den Haaren und ohrfeigte ihn, sobald sie ihn nur in Reichweite hatte. »Iß«, sagte sie mit verkniffenen Lippen und beutelte ihn verzweifelt im Genick.

Aber warum, fragte sich Erica, wagte sie nicht, sie zu

verlassen? Was fürchtete sie für sie, wenn sie nicht mehr da wäre? Erica hätte gern gesprochen, ihr zu verstehen gegeben, wie wenig daran lag, daß sie da war. Es genügte völlig, daß sie das Holz und die Kohle daließ und Geld für Brot schickte. Und selbst daran lag nicht viel, die Kinder waren nicht wie die Großen, die vor der Kälte und vor dem Hunger Angst hatten; sie fürchteten nur die Einsamkeit mit den Wölfen der Kälte und des Hungers in der Einsamkeit; und es war gewiß, daß man in einer Stadt nicht vor Einsamkeit sterben konnte. Erica hätte ihr all das gern gesagt; sie dachte darüber nach, wie sie sprechen sollte, aber dann war ihr, als hätte sie nie mit ihr gesprochen und als müßte sie dafür eine andere Sprache beherrschen. Die Sprache, in der sie mit der Mutter sprach, kannte doch nur Wörter wie »Teller«, »Lappen«, »Wasser«, »Brot«, »Bäcker«, und Erica sah nicht, was sie für das, was sie sagen wollte, mit solchen Wörtern anfangen sollte. Und sie ängstigte sich, weinte manchmal, wenn sie darüber nachsann und fühlte dabei, wie der Haß der Mutter finster wurde. Sie würde sie nicht verlassen, es sei denn, sie wären gestorben. Sie wollte fortgehen und laufen, wo der Vater lief, aber sie wollte beruhigt fortgehen, ohne Gedanken an sie, die zurückblieben. Sie wollte sie tot sehen. Nur ein Wunder würde sie dazu bringen fortzulaufen und sie lebend zurückzulassen. Die schreckliche Frau mußte sie durch irgendein Wunder vergessen. Daher dachte Erica an ein Wunder, als der Vater eines Tages hundert Lire schickte und schrieb: Komm, denn ich bin krank.

»Gott!« sagte die Mutter. »Wie ist das möglich?« Und sie sah bleich und bestürzt ihre drei Kinder an.

Aber schon leuchtete in ihren Augen der Gedanke an die Reise. Den ganzen Tag machte sie sich im Haus zu schaffen, sprach vor sich hin und war immerzu erschrokken und hatte eine große Lebhaftigkeit in den Augen. Und sie ging nicht zu ihrem Dienst. Und sie machte sich wie rasend daran, das Haus aufzuräumen.

Sie scheuerte die Böden, sie wusch die Wäsche. Es war November, aber die Martini-Sonne schien, und sie hängte die Wäsche quer über den Hof. Erica half ihr mit schwerem Herzen, und mehrere Male sah sie, wie sie innehielt, um verstört mit einer Nachbarin zu plaudern. Mein Mann ist krank! Mein Mann ist krank! Und eine Nachbarin sagte, sie müsse um jeden Preis fahren, eine andere, es sei vielleicht nichts Schlimmes, und sie tue besser daran zu bleiben. Aber am Nachmittag schien sie einen Entschluß gefaßt zu haben.

Sie zog unter dem Bett eine große Schachtel aus Staub und Pappe hervor, und es gab Schaben zu zertreten. Erica bemerkte, daß ihre Augen ihre Kinder nicht mehr sahen. Sie hatte ein wenig Lust zu weinen, wie aus Trotz, aber sie wünschte sich doch, daß die Mutter noch vor dem Abend abreiste. Und die Mutter reinigte die Schachtel, füllte sie mit Dingen, ließ dann alles halb fertig liegen, nahm ihren ewigen schwarzen Wintermantel mit dem dünnen Kaninchenkragen und ging ungekämmt mit ihren großen Füßen durch den Hof und über den Platz.

Hatte sie beschlossen, doch nicht zu reisen? Erica lief hinter ihr her.

»Mama! Mama!«

Als sie an ihrer Seite war und nur weil die Mutter sie an ihrer Seite sah, sagte sie mit rauher, unfreundlicher Stimme: »Was willst du?«

Erica wußte nicht, was sie wollen könnte, aber sie fühlte, daß die Mutter keine Fremde war, und sagte zu ihr: »Weißt du, Mama, du mußt ganz unbesorgt sein. Ich kann mich um das Haus und um sie kümmern wie du.«

»Ja«, sagte die Mutter und schritt mit ihren langen Beinen eilig über den Platz. »Ich glaube, daß du das kannst. Ich muß fort. Wenn er mich gerufen hat, muß er wirklich krank sein.«

Erica seufzte auf vor Erleichterung und war dennoch traurig.

»Und es handelt sich nur um einige Tage«, fuhr die Mutter fort. »Im Haus ist noch Holz vom vorigen Jahr, um im Ofen einzuheizen, wenn es kalt wird. Aber sei sparsam. Es muß uns noch den ganzen Winter reichen.« Die Mutter achtete beim Sprechen nur darauf, wie sie ging, und sagte weiter: »Wir haben zwanzig oder dreißig Kilo Kohle zum Kochen, aber verbrauche davon nicht mehr als ein halbes Kilo täglich. Fach das Feuer nicht zu stark an und lösch die glühenden Stücke mit Wasser, wenn du fertig bist; dann bleiben sie dir fürs nächste Mal. Das Kilo kostet neunzig Centesimi.« Erica war noch nie mit der Mutter gegangen und war darüber in ihrem erleichterten und doch traurigen Herzen zufrieden. »Für die Lampe ist eine Flasche mit Petroleum da«, fuhr die Mutter fort, »aber ihr könnt zu Bett gehen, sobald es dunkel wird. Außerdem fällt durch das Straßenfenster das Licht der elektrischen Laterne herein.« Und weiter sagte sie: »Ich lasse mir jetzt das ganze Geld geben, das man mir für meine Dienste schuldet. Es sind fünfundsechzig Lire, und ich kaufe dir ein bißchen Mehl für die Polenta, Nudeln und etwas Öl. Ich kaufe dir auch Bohnen, aber nicht viel, für zwei- oder dreimal, sie brauchen jedesmal anderthalb Kilo Kohle, und für nur drei Münder lohnt sich das nicht. Und gib mir acht auf das Öl, tu einen Löffel davon in den Topf, bevor du anrichtest, nie auf die Teller, sonst ist in einer Woche alles weg.« Sie sagte das alles herunter wie eine Litanei, und einen Augenblick unterbrach sie sich, während sie immer weiterging, vielleicht wartete sie darauf, daß Erica etwas sagte, und ohne daß Erica etwas gesagt hätte, sprach sie weiter. Sie sagte: »Du kannst oft Suppen mit Brühwürfeln und vier Kartoffeln machen. Ich werde dir zehn Kilo Kartoffeln kaufen. Das ist das Allergünstigste und geht am schnellsten. In einer halben Stunde ist es gar, und mit zwei Handvoll Fadennudeln, die du dazugibst, bekommst du drei Teller voll Suppe, die besser als Fleischbrühe ist. Von den Nudeln kaufe ich dir nur Fadennudeln. Aber du kannst ab und zu auch zum Metzger gehen. Ich zahle ihm jetzt, was ich ihm schulde, dann kannst du bis zu meiner Rückkehr jeden dritten Tag zweihundert Gramm Suppenfleisch anschreiben lassen. Beim Bäcker kannst du jeden Tag einen

Wecken holen, so wie jetzt, aber ihr habt dann das ganze Brot für euch. Ich zahle, was ich ihm schulde, und sage ihm, daß auch er dir anschreiben soll, bis ich zurückkomme.«

Sie sagte diese Litanei herunter, als spräche sie mit sich selbst, aber Erica war ebenso zufrieden, sie sprechen zu hören, wie mit ihr zu gehen. Es war das erstemal, daß so etwas ohne Unterbrechung geschah, es war beruhigend, und es kam daher, daß sie abreiste. »Ich werde dir auch eine Henne kaufen«, fuhr die Mutter fort. »So eine Henne wollte ich schon lange kaufen, eine, die jeden Tag ein Ei legt. Du gibst ihr, was übrigbleibt, und mit dem Ei machst du abends ein Omelett. Aber laß sie nicht in den Hof lau-fen.« Dann rechnete sie nach und sagte: »Die Reise kostet mich neunzig Lire, und ich muß mit wenigstens fünf Lire dort oben ankommen. Wenn ich alles bezahlt und gekauft habe, bleiben mir, hoffe ich, noch fünf Lire, die ich dir geben kann. Und du gib gut acht darauf! Leg sie in die Schachtel, in der ich die Halskette hatte, und nimm jeden Tag fünfzig Centesimi, um ein wenig Gemüse zu kaufen. Aber wenn ich nicht rasch genug zurückkommen sollte, schicke ich dir etwas von da oben.« Und weiter sprach sie: »Gib acht, laß den Ofen nicht brennen, wenn du zu Bett gehst. Lösch ihn aus, bevor es dunkel wird. Und die Teller wäschst du mit kaltem Wasser. Mach ein wenig Wasser mit Soda heiß, und das übrige spülst du mit kaltem Wasser. Sonst verbrauchst du mir zuviel Kohle. Und auch die Klei-der wäschst du mit kaltem Wasser. Geh mit dem Bottich zum Brunnen und reib sie unter dem fließenden Wasser mit Kernseife ab. Es kommt nur darauf an, sie zu waschen, solange sie noch sauber genug sind. Lucrezia hat nur ein Hemd, aber du kannst ihr eines von deinen geben, wenn du ihres wäschst. Und feg zweimal täglich den Boden, sonst mußt du knien und ihn mit dem Scheuertuch reiben, und du plagst dich dabei zu Tode.«

Erica wußte das alles und machte es seit mehreren Jahren, ohne daß man ihr etwas erklärt hätte. Sie tat, was sie die Mutter hatte tun sehen. Aber es gefiel ihr, es erzählen zu hören, es war ein Lied, und es war zum erstenmal ein Lob ihrer Tüchtigkeit in den Haushaltsangelegenheiten. Die Mutter sprach, wie um sie zu belehren, als wüßte sie nicht, daß Erica all diese Dinge auf diese Weise seit mehreren Jahren schon tat, aber Erica sah sich selbst in ihren Worten wieder, und sie sah die Anerkennung ihrer Geschicklichkeit, ihrer Fähigkeiten: die Rede war das Lied auf alles, was sie immer getan hatte und gern tat. Auch ein Dank war in dem Lied, obwohl die Stimme der Mutter unbeteiligt klang, und Erica dachte: sie muß erst wegfahren, um einmal gut zu sein, liebe Mama!

Sie war eine Fremde geworden, und sie war gut geworden; sie hatte nichts Gefährliches mehr in den Winkeln ihrer Seele. Sie war gut, sie lief mit ihren großen Füßen, und Erica lief mit ihr, als wären sie Gefährtinnen. Das tat so wohl, alles zusammen; die Mutter lief, als wäre sie schon abgereist, und Erica lief neben ihr her, wie um sie noch ein Stück zu begleiten. Und es gab keine Traurigkeit, die man wirklich so nennen konnte, es gab keine Leere; es war nur so, daß nach diesem Gang das Haus nun mit ihr begann und endete.

»Ich hoffe, Alfredo wird nicht weinen«, sagte sie.

»Meinst du, er wird?« sagte die Mutter.

Und früh am nächsten Morgen kam, nach einer schlaflosen Nacht, der Augenblick der Trennung. Während dieser letzten Stunden war die Mutter ein Gast im Haus gewesen. Bei ihrer Abreise wurde sie bis zum Bahnhof begleitet. Sie löste eine schöne Fahrkarte; sie mußte den ganzen Tag reisen. »Schreib mir über alles«, sagte sie zu Erica und drückte ihr mit einem Mund aus feuchten Knochen flüchtig einen Kuß aufs Haar. Dann ging sie durch das Gitter auf die andere Seite. Die Kinder blieben diesseits zurück, und Erica sah ihre großen Füße eine breite Treppe hinaufeilen.

IX

Sie kehrten viele Stunden später nach Hause zurück, gegen Mittag erst. Erica hatte anderthalb Lire in der Hand, die ihr die Mutter nach dem Kauf der Fahrkarte gegeben hatte. Sie sollte sie zu dem anderen Geld im Haus legen. Die Fahrkarte hatte nämlich anderthalb Lire weniger gekostet als die vorausgesehenen neunzig. Und mit diesen Münzen, die sie fest in der Faust hielt, hatte Erica das Gefühl, etwas feiern zu müssen.

Sie überquerten den Bahnhofsvorplatz, es war halb acht, aber die Sonne kam schon ein wenig hervor, und Erica wußte nicht, wie sie ihr Geld auf festliche Weise ausgeben sollte. Wäre es Juli gewesen, würde sie Eis gekauft haben, und nun war es nicht einmal Nachmittag, so daß man in den Vergnügungspark hätte gehen können. Sie gingen trotzdem hin in der Hoffnung, daß sich schon irgendein Karussell drehen werde, und stellten fest, daß es die Zeit des Saubermachens voller Eimer und Männer in Hemdsärmeln war, die, auf den Vergoldungen sitzend, glänzende Kutschen abstaubten, aber auch das entzückte sie, und der Park war riesengroß, und sie sahen die Affen mit langen, wie Zweige so trockenen Armen, die kreischend auf den Schaukeln der Kinder spielten.

Sie verließen den Park durch Gärten und kamen an weiträumige Orte, an denen sie noch nie gewesen waren. Sie gingen zwischen Visionen hoher Stadthäuser dahin in hohem gelbem Gras, das aufgegebene Bahngleise überwucherte. Und sie gingen unter Eisenbahnbrücken hindurch, die zu langen Straßen voller Läden führten; wie Tore in die Stadt.

Es war eine lange Wanderung; es waren unbekannte Orte. Es wurde eine regelrechte Reise zu dem Haus im alten Viertel, und sie dachten, sie würden es ein wenig verändert vorfinden, ein wenig neu; oder jedenfalls hofften sie es. Gewiß wollten sie sich bewegen, als bildeten sie zusammen einen Zug; Erica glaubte, wenn sie stehengeblieben wäre, hätte sie sich traurig gefühlt, und es war dieser Wunsch nicht stehenzubleiben, der ihr das Gefühl gab, etwas feiern zu müssen. Aber die Münzen blieben ungenutzt in ihrer Faust; es fand sich keine Gelegenheit, sie auszugeben. Und wenn wir eine Straßenbahn nähmen? dachte sie. Aber es hätte eine außergewöhnliche, prächtige Straßenbahn sein müssen, die festlich gewesen wäre wie mindestens eine Achterbahn, und die Straßenbahnen, die vorbeifuhren, waren nur armselige Karren mit Nummern und Namen, die sie schon viele Male gesehen hatten. Da waren die unbekannten Straßen noch festlicher, und sie gingen weiter, bis sie an eine Ecke kamen, die sie kannten.

»Und wenn wir einen Milchkaffee trinken würden?« sagte Erica. Sie waren noch nie in einem Café gesessen und traten ein und setzten sich, und es wurde ihnen warm in einer Welt von hohen Fensterscheiben und Flaschen. Der Kellner war ein unhöflicher, spöttischer junger Mann. Er wollte das Geld sehen, und Erica entrüstete sich, aber sie öffnete die Faust, um die Lira und den Fünfziger zu zeigen. »Dann also einen, nicht drei«, sagte der anmaßende Kellner. Sie taten, als wüßten sie schon, daß sie für ihr Geld nur einen bekommen konnten, nur Alfredo protestierte, und nachdem er beinahe alles aus der gemeinsamen Tasse getrunken hatte, sagte er, es schmecke nach so gut wie nichts. Aber Erica fühlte sich zufrieden, obwohl dieser Kellner sie empörte, und zuletzt fand sie, sie hätten genug gefeiert, und dachte an das Haus.

Von diesem Augenblick an dachte sie an das Haus immer wie an ein Kind, das kleinste ihrer Kinder, das gewaschen und in Ordnung gehalten werden mußte und nicht zuviel allein gelassen werden durfte. Als sie ankamen, liefen Alfredo und Lucrezia in den Hof, und sie trat ein und schloß die Tür, sie fühlte das Haus an ihren Rockzipfeln hängen. Das war wohltuend; es machte ihren Geist reif. Seit einer Weile, seit Jahren schon, kümmerte sie sich, wie gesagt, ganz allein um das Haus, aber das Haus war, als die Mutter da war, irgendwie größer gewesen als sie. Es war wie eine große Schwester gewesen, der man dienen mußte, und nun war es plötzlich ein Kind, das kleinste von ihnen, mit dem Erica machen konnte, was sie wollte. Sie schloß die Tür, und das Haus gehörte ihr, abgeschlossen mit ihr. Es begann und es endete mit ihr, nicht mehr jenseits im Jenseits der Mutter. Dieses Jenseits gab es nicht mehr, und Erica setzte sich und fühlte das Haus im Schoß.

Immer fühlte sie von diesem Augenblick an das Haus in ihrem Schoß, und bei allem, was sie nun für das Haus tat, kam ihr der Antrieb aus dem Schoß.

Aber sie war ein kleines Mädchen, und sie hatte einen unreifen, launenhaften Schoß. Sie fegte aus und gab sich nicht zufrieden, sie wollte, daß der Boden glänzte, und scheuerte ihn mit dem Lappen, und so viele Male begann sie, da die Feuchtigkeit verflog und den Glanz mitnahm, ihn wieder mit dem Scheuertuch aufzuwaschen. Sie machte die Betten, sobald sie aufgestanden waren, und zur Essenszeit deckte sie den Tisch mit einem sauberen Tuch, während man zu Mutters Zeiten oft mit dem Teller auf den Knien gegessen hatte. Sie hielt die Küche sauber, indem sie den Schmutz immer wegwischte, sobald er sich bildete, das heißt jeden Augenblick, nicht zuletzt alles auf einmal. Und wenn sie saubergemacht hatte und die Geschwister draußen waren und der Suppentopf wie ein Kater auf dem Kochherd summte, lehnte sie die Fensterläden an und ging auf Zehenspitzen.

Sie wollte keine Fliegen im Haus haben, und bis die Kälte kam und sie aufsaugte, war sie auf dem Kriegspfad und fing sie, riß ihnen die Flügel aus und steckte sie in eine Büchse, die sie dann aus dem oberen Zimmer ins Leere ausschüttete. Wenn sie manchmal keine Fliege mehr summen hörte, schloß sie ab und setzte sich auf die Stufe vor der Tür, um so von draußen den Gedanken zu genießen, daß es nun für eine Weile keine Fliege mehr im Haus gab. Aber sie liebte die Fliegen, die im Hof umherflogen, sie wollte nur nicht, daß sie das Haus belästigten; und sie liebte diejenigen, die sie verstümmelt hatte, der zum Verkauf ausgeschriebene Baugrund wimmelte von ihnen wie von Ameisen. Und sie ging oft hin und spielte mit ihnen, wenn sie welche fand. Dennoch gab sie die Fliegen gern der Henne zu fressen, sobald sie entdeckte, daß diese sie begierig verschlang.

Anfangs hatte sie das Huhn gehaßt, weil es ein wildes Tier war, das ständig das Haus mit Schmutz und Federn schändete, aber dann hatte sie es nach oben gebracht, zwischen das Holz und die Kohle, und sie hatte es gern. Sie hatte ihm einen Käfig gemacht, und wenn sie sich auf ihrem Spielbett ausstreckte, um durch die weit offene Tür ins Leere hinauszuschauen, nahm sie es aus dem Käfig und hatte ihre Freude daran, es warm und verloren in den Händen zu spüren. Oben jedoch machte sie nie sauber, oben, das war nicht das Haus, es war eingestandenermaßen Spiel, und der Schmutz gehörte zum Spiel als ein Glücksfall. Und ein Glücksfall war auch das Ei, das die Henne, freilich nicht jeden Tag, in ihren Schmutz legte. Und ein Glücksfall war der Hühnerstallgeruch, der in diesem hohen Raum mit der eingebrochenen Decke von Tag zu Tag stärker wurde.

Es gab innen eine kleine Holztreppe und die große äußere Treppe mit dem halb losgerissenen Geländer, aber Erica wollte von ersterer nichts wissen und kannte nur die letztere, auch um die Kohle hinunterzutragen. Die Leute sahen sie kommen und gehen und glaubten, sie tue es, weil sie auf Sauberkeit bedacht war, um das Haus nicht mit der Kohle zu beschmutzen. Die Leute im Hof waren nun sehr neugierig, was sie betraf. Sie fühlten, daß sie ein armes alleinstehendes Mädchen war, und behielten sie von fern im Auge und sahen viel von ihrem Leben. Und sie hielten sehr viel von ihr, sie dachten, daß es kein zweites Geschöpf auf der Welt gab, das so ordentlich und verständig war wie sie. Aber wußten sie etwas von den Gedanken, die sie hegte, wenn sie so war? Sie dachten, sie sei ordentlich und verständig, und wußten nichts von den geheimnisvollen Wegen, die sie dazu führten, es zu sein. Sie sahen sie die verfallene Außentreppe mit der Kohle in einem kleinen Korb hinauf- und hinuntergehen und wußten nicht, daß die Kohle etwas Lebendiges war.

Sie sprach mit der Kohle und mit dem Feuer der Kohle. Sie berührte sie, zählte sie, in wieviel Stücken sie an diesem Tag brennen mußte, und sagte zu ihr: Du wirst mir die ganze Suppe kochen, oder du kommst hier nicht mehr heraus. Sie leistete ihr Gesellschaft, die Kohle. Kleine Kohle, sagte sie zu ihr. Und sie war ein Schatz, sie war ein Gut, das den Tag bereicherte, sobald es ins Haus kam. Sie oben zu holen, war eine weite Reise, eine Reise ins Gebirge und eine Einfahrt in die Gruben, wo die Kohle auf einen Befehl antwortete wie auf ein: Sesam, öffne dich. Und manchmal sagte sie zu ihrem Bruder: Geh, Bergmann, ich brauche drei Waggons. Der Bruder wußte Bescheid und war zufrieden. Er fragte: Wie lautet die Parole? Erica dachte einen Augenblick nach und flüsterte ihm ins Ohr: Hacke ins Ochsenauge. Und die Leute, die den kleinen Alfredo mit dem Kohlenkorb hinaufgehen und herunterkommen sahen, hatten eine sehr gute Meinung von allen drei Kindern, vor allem aber immer von Erica, die dafür sorgte, daß die Kleinen so artig waren.

Die Leute glaubten, dieses Mädchen zu lieben, und dachten: Ach, Mädchen, hab nur keine Angst, denn auf dich passen wir auf! Und da sie hörten, wie sie das Ei für das Omelett quirlte und jeden Tag kochte, freuten sich die Leute und dachten auch gut von sich selbst, sie meinten, das komme daher, daß sie auf das Mädchen aufpaßten. Aber sie blieben für sich und beobachteten sie von weitem. Und die Frauen der Angestellten mit den violetten Hüten schauten von ihren vornehmen Stockwerken zwischen dem Elend unter ihnen und dem Elend über ihnen hinunter, sie schauten und dachten: »Ach, Mädchen, du wärst ein Schatz von einer kleinen Dienstmagd, und wenn du nichts zu essen hast, werde ich dich nicht verhungern lassen; ich nehme dich, damit du mir das Geschirr spülst, und gebe dir die ganze Pasta asciutta, die mir übrigbleibt.«

X

Erica gab die letzten Lire, von den wenigen, die ihr die Mutter zurückgelassen hatte, aus, um ein Fläschchen Tinte, einen Briefumschlag und eine Briefmarke zu fünfzig Centesimi zu kaufen, und schrieb:

»Liebe Mama, wir sind bei bester Gesundheit, und so hoffe ich auch, daß Papa genesen ist. Mir ist es immer gutgegangen, Alfredo auch, nur Lucrezia war einen Tag erkältet, ich glaube, weil sie zum Brunnen auf dem Platz gegangen ist, um sich das Gesicht zu waschen, als wir kein Wasser im Haus hatten, und sie ging mit dem Eimer, kam aber mit gewaschenem und nassem Gesicht zurück, doch die Erkältung ist rasch wieder vergangen. Aber wie es scheint, hat sie die Henne damit angesteckt, denn von diesem Augenblick an niest die Henne und legt nur noch alle drei Tage ein Ei. Jetzt will sie auch nicht mehr fressen, was ich ihr von den Resten gebe, weder Nudeln noch Krümel, sie will nur noch Fliegen fressen. Und ich habe alle Hände voll zu tun, sie zu fangen, ihnen die Flügel auszureißen und sie ihr hinzuwerfen. Ich werfe sie ihr hin, und sie schnappt sie aus der Luft, während sie noch fallen, und macht die Augen zu und niest. Es ist einfach furchtbar, wie sie sie verschwinden läßt, und dann berühre ich ihren Kropf und spüre, daß sie sie als Ganze da drinnen hat, lebendig sogar, und daß sie sich nur nicht bewegen, weil es zu viele sind. Und denk, daß sie vielleicht gar nicht erkältet ist und vor lauter schlechtem Charakter niest, wie man ihn an ihren roten Augen erkennt, wenn sie sich mit ihrem langen gefräßigen Hals auf die armen Fliegen stürzt, um sie zu verschlingen. Sie hat ein Feuer in sich wie eine Teufelin, vom Schnabel bis zum Schwanz, und ich mag sie nicht mehr abtasten, ob sie ihr Ei legt, denn an der Stelle, wo sie das Ei legt, zwickt sie mich mit einem Ring aus heißem Feuer in den Finger. Ich bin überzeugt, daß sie ein böses Tier ist und eine Durchtriebene, die so wenig tun will, wie sie nur kann, zuerst habe ich das nicht geglaubt, und ich habe sie gern gehabt, aber jetzt fängt sie an, mir regelrecht unsympathisch zu werden. Ich wollte, Du hättest uns statt dessen ein schönes Kaninchen dagelassen. Ein Kaninchen ist ein freundliches Tier, es bewegt das Maul mit seinem Schnurrbart und denkt. Es wäre sehr ruhig gewesen, und vielleicht hätte ich es bei uns im Zimmer halten können, denn ich glaube, es macht keinen Schmutz. Die Hühner machen Lärm und beschmutzen alles und sind böse Tiere, die Fliegen verschlingen. Die Kaninchen dagegen haben nur lange Ohren und hören zu. Und wenn Du uns ein Gottesgeschöpf dalassen mußtest, das uns jeden Tag etwas für unsere Ernährung macht, wäre es besser gewesen, Du hättest uns ein Milchtier gegeben wie ein weibliches Kaninchen oder eine Ziege. So hätten wir täglich Milch gehabt, während wir jetzt alle drei Tage ein Ei haben, das vielleicht vom Teufel kommt, denn dieser Vogel ist ein Feuerwirbel unter seinen Federn. Übrigens hätten wir auch viel lieber Milch gehabt und sie von einem freundlichen Fleisch gemolken. Kaufen konnte ich keine, und dann habe ich mit den Lire, die Du mir für das Gemüse dagelassen hast, anderes kaufen müssen, und jetzt habe ich keine mehr. Du hast gesagt, ich soll sie für Gemüse ausgeben, aber Du hast uns keine Streichhölzer dagelassen, und ich habe Streichhölzer kaufen müssen. Ich habe gleich fünf Schachteln gekauft, um auch einen Vorrat von Streichhölzern im Haus zu haben wie bei den Nudeln und der Kohle. Und dann habe ich Salz kaufen müssen, Du hast nicht darauf geachtet, daß Du uns nur sehr wenig gelassen hast, und ich habe soviel gekauft, daß das Terrakottafäßchen voll ist. Und ich habe auch ein wenig Kaffee gekauft, so mache ich morgens Kaffee während Du fast nie einen gemacht hast, aber ich habe der Lust, ihn zu machen, nicht widerstehen können, wenn ich jeden Tag hier in der Nachbarschaft hörte, wie ihn jemand mahlte. Und heute habe ich die Tinte und drei Briefmarken gekauft, um Dir zu schreiben, da Du mir gesagt hast, daß ich Dir schreiben muß, und ich werde Dir dreimal schreiben können, aber wenn ich noch Geld gehabt hätte, würde ich mir einen Vorrat angelegt haben, um Dir hundertmal schreiben zu können. Ich hätte gern gewollt, daß Du uns lauter Vorräte daläßt; mit dem Geld weiß man nicht, was man tun soll, während man mit den Sachen seine Ordnung hat und sicher ist. Und jetzt ist das Geld zu Ende, aber die Sachen sind noch immer da. Ich wollte nur, es wären andere Sachen da. Ich hätte, zum Beispiel, gern Fleischbüchsen und Tomatendosen und Pakete mit Zwieback wie ihn die Matrosen auf ihren langen Fahrten an Bord haben. Mir wären das Fleisch in Büchsen und der Zwieback lieber gewesen, als zum Bäcker und zum Metzger zu gehen, denn es ist auch unangenehmer mit Geld einzukaufen, weil man mich immer fragt: Und deine Mutter? Wann kommt sie zurück? Dann wäre alles so, wie es mit der Kohle ist und mit dem Öl und mit den Nudeln, die da sind und uns nicht allein lassen ...«

XI

Erica schrieb solche Briefe an die Mutter, aber es war nicht eigentlich so, als schriebe sie an die Mutter. Es war, als redete sie mit sich selbst; sie hatte mit Gedanken zu tun, nicht mit Worten. Und es war angenehm für sie, nicht schwierig; nicht schwierig wie Sprechen, sondern angenehm wie Nachdenken. Sie schrieb: »Liebe Mama«, und sie hatte nicht das Gefühl, nach einem Jenseits der Mama abgereist zu sein. Sie reiste wirklich ab; sie blieb nicht mit dem Bewußtsein an den Stuhl gefesselt, auf dem sie saß, an den Tisch, auf den sie die Ellbogen stützte; sie reiste vielmehr ab nach einem Jenseits von allem.

Die Mama war nun nur ein ferner Punkt, wie ein Bahnhof, dessen Namen man unter tausend Bahnhöfen unbekannten Namens kennt. Sie hatte aufgehört, eine Gefahr und eine Drohung zu sein, und war nichts mehr. Erica erinnerte sich an ihre Angst vor ihr und lächelte darüber und schämte sich deshalb, aber die Mutter war nur das gewesen: eine intime Gegenwart von Gefahr und Drohung, und nun, da sie das nicht mehr war, war sie nichts mehr. Erica wies von sich, was Gefahr und Drohung gewesen war; sie dachte lächelnd an ihre Angst, daß sie nicht wirklich gewesen sei; und so fand sie, daß sie nichts mehr von ihr behalten hatte. Sie hatte viel mehr vom Vater behalten, die eine oder andere Erinnerung an sein Rauchen, an sein Fröhlichsein; und vor allem das Zigeunerleben aus seinen Briefen. Aber von der Mutter blieb ihr kaum die unbestimmte Befriedigung, an ihrer Seite gegangen zu sein, als sie schon irgendeine Frau mit großen Füßen im Augenblick des Verschwindens war. Sie konnte sich an die Mutter nur in diesem Augenblick erinnern. Und dieser eine und einzige Augenblick war nur die Öffnung ins Nichts, die Öffnung und der Eingang in das Nichts, in dem die Mutter ein Punkt war: ein Punkt mit einem Namen unter Tausenden von Punkten ohne Namen. Aber man konnte eine Fahrkarte nur nach einem Bahnhof lösen, dessen Namen man kannte. Und so schrieb Erica der Mutter, und sie reiste beim Schreiben ab nach einem Jenseits von tausend Bahnhöfen, aber mit der Fahrkarte, die auf diesen Namen ausgestellt war.

»Liebe Mama«, schrieb sie, und das war auch schon der Brief; das übrige war eine Reise, ausgefüllt mit Nachgrübeln über sich und ihre eigene Wirklichkeit. »Es ist kalt geworden, und schon seit einigen Tagen mache ich Feuer im Ofen. Vielleicht hätte man vorher das Rohr reinigen sollen, denn es qualmt etwas, aber ich wußte nicht, wie, und warte darauf, daß es sich durch die Kraft der Flamme

und des Luftzugs selbst reinigt, denn ich mache die Zug-
klappe ganz auf. Tatsächlich qualmt es immer weniger.
Die Tage sind sehr kurz geworden, um halb fünf sieht man
schon nichts mehr, und ich muß die Lampe anzünden. Ich
zünde sie nur kurz an, für eine Stunde oder zwei, bis wir
zu Abend gegessen haben, und dann setzen wir uns noch
eine Stunde an den Ofen, der Licht gibt, wenn man das
Türchen öffnet. Aber ein wenig muß ich die Lampe anzünden, sonst habe ich das Gefühl, daß das Haus leidet,
weil es nicht ein oder zwei Stunden Licht hat. Sie haben
es so gut miteinander, das Haus und die Lampe, in diesen
ein oder zwei Stunden, und dann glaube ich, daß ohne die
Lampe mit ihrem Petroleum der Schlaf nicht kommen
würde; das Haus ist noch zu wach um halb fünf. Ich habe
einige Abende versucht, mit dem Lichtschein der elektrischen Laterne auszukommen, der von der Straße herein-
fällt, aber es war eine Qual, die uns um so mehr das Fehlen
eines eigenen Lichts spüren ließ, so als wäre der Tod unter
uns, denn ich glaube, daß eine Lampe mehr ist als etwas,
wodurch man sieht, sie ist ein Lebenszeichen, und es
schmerzte mich, nicht in einer Lampe zu leben, an einem
von eigenem Leben erhellten Ort, wenigstens während
der Essenszeit. Und dann hat das Petroleum einen so
guten Geruch, der das Dunkel der Nacht tröstlich macht
wie ein altes, bekanntes Dunkel, dem man trauen kann.
Während das Dunkel der Abende, an denen man nicht
einmal einen Augenblick Licht gemacht hat, wie unbewohnt war und unsicher, beinahe schrecklich. Und mit

dieser verdammten Henne über uns konnte ich dann nicht mehr schlafen. Aber jetzt ist die Henne fort und wir haben statt dessen eine kleine Gans. Die Fliegen waren mit der Kälte alle weg, ich fing nur noch fünf oder sechs an einem Tag und wußte nicht mehr, was ich dieser Teufelin zu fressen geben sollte. Außerdem flog sie mir auch noch aus dem Käfig davon und aus dem Zimmer hinunter auf den BAUGRUND ZU VERKAUFEN, und Eier legte sie nicht mehr, oder wer weiß, wo sie sie legte, und die Frau des Eisenbahners, die den kleinen Garten hat, half mir, sie in ihrem Garten einzufangen, und eines Tages fragte sie mich, ob ich sie ihr verkaufen wolle. Aber ich sah, daß sie Gänse hat, so viele kleine Gänse, Töchter der großen, ich hatte es schon eine Weile bemerkt, und sie gefielen mir. Ich sah immer zu, wie sie ihre Federn putzten, und ich fragte die Frau, ob sie mir eine der kleinen Gänse für die Henne geben würde. Sie sagte, das gehe in Ordnung, und jetzt haben wir eine ihrer Gänse für uns. Aber wir haben sie nicht im Haus, sie ist noch sehr klein, und die Frau sagt, sie behält sie, bis sie gewachsen ist, und sie füttert sie auch. Aber ab und zu hole ich sie mir und nehme sie für ein Weilchen mit nach Hause, um mit ihr zu spielen. Ich bin sehr zufrieden mit dem Tausch, den ich gemacht habe, sie ist ein gutartiger Vogel und weiß und hat dieselbe Natur wie das Milchvieh, dieselbe wie die Kaninchen und Ziegen, und einen Schnabel, der so weich ist wie das Maul eines Kaninchens. Jetzt ist sie noch klein und legt keine Eier, aber sie wird welche legen und ihre tägliche Gabe spenden, es wird ein Ei wie aus Milch sein, wie Dotter-milch. Wir sind alle zufrieden, daß wir sie haben. Wir haben ihr einen roten Faden um das Bein gebunden und erkennen sie unter ihren Schwestern, was für uns ebenso ist, wie wenn man eines der Tiere des Himmels erkennt, den ›Widder‹ oder ein anderes, wenn es unser Tier ist. Und Alfredo sagt, daß er ihr ein Loch graben will, um ihr ein Wasserbecken zu machen…«

XII

Die Frau des Eisenbahners hatte ihr Haus ein wenig abseits im Hof, mit einem Eingang vom Platz her, und einen kleinen Garten, und sie war eine der am wenigsten armen im ganzen Viertel.

Auch sie hatte sehr gut von Erica gedacht wegen ihrer Ordentlichkeit und Verständigkeit. Aber sie war eine durchtriebene alte Frau mit großen Töchtern, die eine Handarbeitsschule besuchten, und einem Mann, der achthundert Lire im Monat verdiente und mit Fähnchen auf Landkarten ein künftiges *Römisches Imperium* absteckte. Sie hatte Familie seit der Zeit vor dem Großen Krieg, und sie verstand sich darauf, Vorteil aus den Leuten zu schlagen. Sie dachte nicht, daß Erica ein Schatz von einem kleinen Dienstmädchen sein könnte, das dachten vielmehr die Frau des Steuerbeamten und die Frau des Landvermessers, die völlig unbedeutende Frauen waren, nicht aber sie mit ihrem alten Krauskopf, die ihr Geschirr immer selbst gespült hatte und Hühner und Gänse besaß, denen man mit Kleie vermischte Reste von den eigenen Nudeln und Bohnen geben mußte. Sie hatte gut von Erica gedacht wegen ihrer Ordentlichkeit und Verständigkeit, aber sie hatte auch gedacht, daß es Erica als »armes alleinstehendes Mädchen« wahrhaftig nicht nötig hatte, ein Huhn aufzuziehen.

Sie hatte gesehen, daß das ein imperiales Huhn war, das jeden Tag ein Ei legen und in kurzer Zeit eine imperiale Hühnerzucht ergeben konnte. Ah, diese Henne! dachte sie. Und wenn ihr schwarz-goldener Hahn krähte, vereinte sie ihren ganzen Willen mit dem Krähen des Hahns, damit es verführerisch in den Eingeweiden der fern lebenden Henne Ericas klänge. Sie wollte diese Henne von großer Rasse, und sie wollte den Tritt ihres Hahns in den Eiern dieser Henne. Sie wollte sie, weil sie von großer Rasse war und jeden Tag ein Ei legte, denn sie konnte in kurzer Zeit einen imperialen Hühnerstall beisammenhaben; doch sie wollte sie vor allem, weil sie ihr ein Beuteobjekt zu sein schien, ein herrenloses Gut, eine Sache, die erst darauf wartete, Eigentum zu werden, das heißt, die man greifen und sich aneignen mußte.

Wie konnte sie diesem armen, verlassenen Mädchen gehören? Das war dasselbe, als gehörte sie einer Landstreicherin, einer Zigeunerin … Und was Zigeunern oder Landstreichern gehörte, das gehörte gleichsam niemandem. Sie betrachtete schließlich diese Henne als ihr potentielles Eigentum. Sie glaubte, sie sei ihr zugeteilt im Buch der göttlichen Rechte. Meine Hühner, dachte sie, und sie dachte an fünfzehn, nicht an vierzehn, an fünfzehn mit der Zahl Fünfzehn, die leuchtender und bedeutungsvoller war als die anderen; und es ärgerte sie, wenn sie diese fünfzehnte und »größte« wegen des Eis gackern hörte, das sie für Erica gelegt hatte.

Denn sosehr sie die Henne auch als die ihre betrachtete, wußte sie doch, daß das Ei Erica gehörte. Und das war für ihre Galle unerträglich. Sie war eine alte Frau mit einem Krauskopf, die seit fünfundzwanzig Jahren eine Familie und Hühner hatte und beide mit Bandnudeln und Bohnen ernährte, und mit den Hühnern nahm der Betrag auf dem Postsparbuch zu. Und sie hatte ein beginnendes Leberleiden, das man ihrem Gesicht anmerkte, wenn sie am Sonntag dick weißen Puder auftrug. Ihr Gesicht verfärbte sich gelb, und mit dem weißen Puder und der ein wenig turbanartigen Krone der schwarzen, aber alten, gelockten Haare ließ sie einen daran denken, daß sie bald ein Mumiengesicht haben werde. Sie hatte das gallige Gesicht einer Frau der Tat, und eines Tages wurde der Hahn auf dem kahlen Gelände hinter den Häusern freigelassen.

Und der Hahn krähte, schwarz und golden, ihren heftigsten Wunsch hinaus, diese Henne zu haben. Die Henne begann davonzulaufen. Den ganzen Tag zog sie mit dem Hahn umher, sie war die Favoritin des Hahns, und die Frau nannte sie Favorita, sie gab ihr Maiskörner, um sie in ihrem Garten zu sehen. Und wenn Erica sie in diesem Gärtchen fand, um sie wieder nach Hause zu bringen, stürzte sich die Henne, die irgendwo ihr Ei mit dem Tritt des Hahns darin gelegt hatte, wild auf sie, und dann war es die Frau, die sie besänftigte und Favorita nannte.

So gehörte die Henne wirklich ihr, dachte die Frau; sie kannte ihren Namen und verstand es, sie zu besänftigen, während Erica sie nur reizte mit ihrem »Put-put-put ...« Deshalb war Erica wirklich glücklich, sie für die kleine Gans herzugeben. Die Frau hatte schon ein Dutzend Eier von ihr, und sie rechnete sich aus, daß sie den Gegenwert dieser Eier, etwa sieben Lire, anbieten konnte, um die Henne im Guten zu bekommen. Da Erica statt dessen aber eine der kleinen Gänse haben wollte, entschied sie, daß es sie gar nichts zu kosten brauchte, die Henne zu behalten. Die kleine Gans? Aber ja, Mädchen, die gehört dir, dachte sie, ich schenke sie dir, aber ich ziehe sie dir bei der Mutter groß, und bekommen wirst du sie nie; wenn es soweit ist, daß ich sie dir geben müßte, nehme ich ihr den roten Faden ab und sage, sie sei eingegangen.

Die Leute im Hof sahen, wie die Frau das Mädchen übervorteilte, sie errieten auch das übrige Manöver, und sie dachten sehr gut von sich selbst, weil sie nicht ein verlassenes Mädchen ausnutzten. Ach, Geduld, Mädchen, dachten die Frauen der Arbeiter, das sind eben Dinge, die mit uns Armen geschehen. Aber manche waren auch wütend über den Betrug und dachten, mit ihnen hätte man das nicht machen können. Eine dachte, schuld sei letzten Endes Ericas Mutter, weil sie das Haus so verlassen hatte, und es geschehe ihr recht. Ein dickes Mädchen dachte, Erica sei schließlich kein Kind mehr und hätte schlauer sein können. Sie sagte es auch. Und von den Arbeitern hielten alle weniger von Ericas Verständigkeit.

Die Frauen der Angestellten dagegen wurden von etwas gepackt, was die Eisenbahnerin Neid nannte. Auf ihren Balkons im ersten Stock schüttelten sie Bettvorleger aus, junge Frauen in geblümten Morgenröcken, und redeten davon, wie man auf dieser Welt so gar kein Gewissen haben kann. Ihr redet, weil ihr vor Neid platzt, dachte hinter dem Kletterpflanzenspalier ihres Gartens die Eisenbahnerin und rieb sich die Hände. Aber die jungen Frauen waren eben junge Frauen, sie dachten nicht an Hühnerställe, sie dachten nicht an Geld auf dem Sparbuch. Das Huhn war ihnen ganz gleichgültig, außer vielleicht als etwas, was man kochen konnte. Worum es ihnen ging, das war der Vorteil, den die Alte herausgeschlagen hatte. Sie dachten: schmutzige Vettel. Sie hatten zehn, fünfzehn Lire pro Tag für die Einkäufe in der Hand und ersparten sich ab und zu eine Lira, um hinter dem Rücken des Mannes ein Stück Kuchen zu essen. Eine Frau muß immer etwas hinter dem Rücken ihres Mannes tun. Und eine junge Frau mit einem kleinen Angestellten als Mann, mit glatten Strümpfen und einem modischen Hütchen, geht eben gern in eine Konditorei und ißt Kuchen. Es verschafft ihr ein heiteres Selbstgefühl, in einer Konditorei feine Mehlspeisen zu verzehren. So brachten die Frau des Landvermessers und die Frau des Verkäufers ein wenig vom Wirtschaftsgeld beiseite und aßen Kuchen. Sie dachten: schmutzige Vettel. Aber sie dachten auch an die Kuchen. Und eines Abends glitt ein kleiner dicker Schatten von einer Frau in einem Morgenrock mit einer Einkaufstasche auf Ericas Haus zu, stieg über die verfallene Außentreppe zu Ericas Abstellraum hinauf und kehrte zurück mit der Einkaufstasche voll Kohle, die sie Erica weggenommen hatte.

XIII

»Liebe Mama«, schrieb Erica, »heute habe ich bemerkt, daß die Kohle anfängt, alle zu werden, ich habe plötzlich gesehen, daß nur noch die Hälfte von vorher da ist, und ich dachte, ich habe es vielleicht nicht richtig verstanden, mit ihr umzugehen. Aber jetzt passe ich auf und verbrenne nie mehr als drei oder vier Stück auf einmal, so hoffe ich sicher zu sein, daß sie nicht zu Ende geht. Nudeln sind noch da, Öl ist noch da und Salz und Streichhölzer auch, und all das ist eine Befriedigung: den Schrank zu öffnen und zu sehen, daß nichts zum Kochen fehlt, wenn nur die Kohle reicht. Die Brühwürfel sind alle, aber das ist logisch, sie mußten alle werden, denn sie waren abgezählt. Der Kaffee ist auch alle, aber auch das ist logisch, ich selbst habe ihn für einige Tage gekauft, und er mußte zu Ende gehen. Es war gut, ihn zu machen, ihn zu mahlen und morgens das Feuer für ihn anzünden zu müssen, aber nun ist keiner mehr da, und das tut nichts, ich habe mehr Zeit zum Waschen und zum Ausfegen. Wichtig ist, daß ich das Mittagessen kochen und abends ein wenig Licht haben kann. Aber ich bin so erschrocken über die Kohle, die zu Ende geht, und ich lasse das Licht nur zehn Minuten brennen; ich habe Angst, daß auch das Petroleum ausgeht. Sie sind doch alles in einem Haus, Kohle und Petroleum ...«

Für Erica gab es das Kind-Haus zu reinigen, aufzuräumen und so weiter, das lebte wie die Kinder. Und da war der nicht lebendige Mauern-Ort, einfach der Ort, wo das Haus beherbergt war, wie darin die Kinder beherbergt waren. Die Kohle, das Petroleum, die Kohle, die Feuer geben, das Petroleum, das Licht geben konnte, beide, die das Leben des Feuers und des Lichts schaffen konnten, waren die wichtigsten Güter, damit der Mauern-Ort für das Kind-Haus bewohnbar war. Und wenn sie nicht dagewesen wären, um dem Feuer und dem Licht Gesellschaft zu leisten, so wäre alles tot gewesen am Mauern-Ort, das Haus wäre gefühllos gewesen und kalt, und die Betten, der Tisch, der Herd und alles übrige wären gefühllose, kalte Glieder im Grab der Mauern gewesen.

Da wäre es noch mehr ein Haus gewesen, dachte Erica, einen Ofen zu haben, um an der Ecke eines Platzes Kastanien zu rösten; das wäre so gewesen, als hätte man das Haus an der Hand gefaßt und dorthin mitgenommen. Sie sah gut, wie die Frauen zu Hause waren, die an den Ecken längs der Straßen der Altstadt Kastanien verkauften. Nur waren diese Häuser nicht sehr verwinkelt, sie gaben einem nicht viel zu tun, und Erica mochte nicht in einem Haus wohnen, das ihr nicht viel zu tun gab. Sie waren alte Frauen, diese Häuser, kleine, stille alte Frauen; und Erica wollte um nichts in der Welt, daß aus ihrem Kind-Haus eine kleine alte Frau an einer Straßenecke wurde. Lieber noch, dachte sie, ohne Haus Papas Zigeunerleben führen; aber es gab keine Hoffnung darauf für sie, die Kinder, die eine Familie bildeten, daher blieb nichts anderes übrig, als die Kohle und das Petroleum zu bitten, nicht zu Ende zu gehen. Und das waren die Briefe, die sie der Mutter schrieb: Bitten, daß die Kohle und das Petroleum nicht ausgingen.

»Liebe Mutter«, schrieb sie, und sie wandte sich nicht eigentlich an die Mutter, sie wandte sich an das Jenseits, wo die guten Geister der Dinge und der Kohle und des Petroleums wohnten …

Unterdessen war der Dezember vergangen, und der Metzger wollte ihr kein Fleisch mehr geben. »Ich habe dir schon zwei Kilo gegeben«, sagte er. »Mehr kann ich nicht riskieren. Wer bezahlt mir das, wenn deine Mutter nicht zurückkommt?« Erica war beinahe erstaunt und beleidigt, daß die Leute die Rückkehr der Mutter erwarteten, aber sie schrieb: »Es war klar, daß der Metzger aufhören mußte, mir Fleisch zu geben.« Sie wußte, daß das Fleisch des Metzgers das Fleisch des Metzgers war, nicht eine Gabe der Erde; und sie bat keinen Geist, als sie davon schrieb, sie berichtete die Tatsache ohne Hoffnung. Im übrigen machte es ihr nichts aus; sie bedauerte nur noch einmal, daß sie keine Fleischbüchsen und Pakete mit Zwieback unter ihren Vorräten hatten. »Siehst Du, daß es besser gewesen wäre, wenn Du mir Fleisch in Büchsen dagelassen hättest?« Und sie schrieb auch von den Zwiebackpaketen, weil sie meinte, daß früher oder später dasselbe mit dem Bäcker geschehen werde.

Es geschah auch wirklich. Eines Morgens gab ihr der Bäcker den üblichen Wecken und sagte zu ihr: »Das ist der letzte, wenn du nicht bezahlen kannst.«

Er hatte den Wecken auf den Ladentisch gelegt, und Erica fühlte sich beinahe versucht, ihn nicht zu nehmen. »Ich wußte, daß auch Sie das tun werden«, sagte sie. »Ich wußte, daß Sie es ebenso machen werden wie der Metzger.«

»Na und?« sagte der Mann vom Backofen. Mehr von Mehl als von anderem schmutzig, schien er ein guter Mensch zu sein, aber Erica hielt nichts von der Güte der Leute. Es gefiel ihr und sie schätzte es, wenn die Leute gut waren, aber sie erwartete sich nichts von ihrer Güte. »Ich nehme an, es ist nicht unsere Schuld, wenn deine Mutter nicht zurückkommt«, sagte der Bäcker.

Erica antwortete nicht. Sie wollte sich auf kein Gespräch über die Rückkehr ihrer Mutter einlassen, wollte nicht behaupten, woran sie nicht glaubte, woran sie nicht zu glauben brauchte und was sie nicht wünschte, wollte nicht leugnen, was nach ihrem Wunsch weitergehen sollte. Sie antwortete nicht, aber sie war nicht erstaunt, sie war nur zornig und dachte, daß vielleicht auch das Brot unwichtig sei wie das Fleisch: dieses Brot, das nicht Zwieback in Vorratspaketen war, wie dieses Fleisch, das nicht

Büchsenfleisch war. Sie dachte an das Polentamehl. Aber ja, man konnte immer Polenta statt Brot essen. Da war ein Sack Mehl, und er war eine Gabe wie die Kohle. Sie hatte schon mehrere Male etwas davon verbraucht, aber es war ein Sack, ein Vorrat. Und sie hatte ihn hinaufgetragen zur Kohle und zum Holz, damit es war, als holte man das Mehl aus Speichern, aus Lagerhäusern, wenn man etwas davon holte.

Der Mann vom Backofen war einen Augenblick hinter den Laden gegangen, der Wecken lag auf dem Tisch, Erica packte ihn und lief davon. Als sie später die verfallene Außentreppe hinaufging, um Kohle zu holen, wollte sie einen Blick auf den Vorrat von Polentamehl werfen, das vom nächsten Tag an Brot sein mußte. Sie kannte den Platz und streckte die Hand aus, fand ihn aber leer, sie suchte und fand ihn leer. Sie fand nicht einmal den leeren Sack. Was bedeutet das? sagte sie.

XIV

Sie ging auf den Treppenabsatz hinaus, sie wußte nicht, was sie denken sollte.

Auf einem der Balkons des ersten Stocks stand die Frau des Steuerbeamten und schüttelte den Bettvorleger aus. Sie war klein und dick und hatte einen großen Bauch, vielleicht weil sie ein Kind erwartete, aber sie sah aus, als hätte sie den ganzen Sack Mehl verschluckt.

Über den Hof ging eine Arbeiterfrau.

Erica hätte gern die Schwester oder Alfredo gerufen, um sie zu fragen, was sie über den Sack Mehl wüßten. Und sie rief sie auch, weil sie die beiden rufen wollte. Sie waren in der Schule; es war Vormittag; und wenn es Nachmittag gewesen wäre, hätte das nichts geändert, denn wenn sie nicht in der Schule waren, spielten sie beinahe immer weit weg. Aber Erica rief.

Es antwortete ihr die Frau, die über den Hof ging. Sie war eine Frau von fünfzig Jahren, Ehefrau und Mutter von beschäftigungslosen Arbeitern, die alle zusammen dreißig Lire Arbeitslosenunterstützung in der Woche hatten. Von den dreißig Lire lebten sie, der Mann, die beiden jungen Söhne und die Tochter, die noch ein Mädchen war, und keiner von ihnen konnte Ericas Eltern verzeihen, daß sie die Arbeitslosigkeit hatten bekämpfen wollen. »Ich habe nicht Sie gemeint«, sagte Erica zu ihr. »Ich finde den Sack mit dem Polentamehl nicht mehr.«

Da erschien das dicke Mädchen, das, als die Sache mit dem Huhn geschah, gedacht hatte, Erica sei schließlich kein Kind mehr und hätte schlauer sein können. Sie kam aus dem Torweg und trug einen Eimer in der Hand, sie war auf dem Platz gewesen, um Wasser zu holen.

Die Frau zeigte zu Erica hinauf und wandte sich an sie: »Sie sagt, sie findet den Sack mit dem Polentamehl nicht mehr.«

Ihre alte, im Hof bekannte Stimme klang hämisch, und das dicke Mädchen stellte den Eimer auf den Boden und hob die blaugefrorenen Hände, wie um sie am Hauch des Mundes zu wärmen. Der Tag war wolkenschwer, grau von verborgenem Eis, und sie war ein Mädchen, das alleinstand, Wäsche nähte und einen Sohn hatte, einen Säugling noch, den sie von niemandem hatte.

»Ach«, sagte sie. »Und das erzählt sie uns? Wenn ich sie wäre, wüßte ich, von wem ich Rechenschaft fordern müßte.«

Sie nahm den Eimer wieder auf, und ein wenig von der Last gekrümmt, mit dem freien Arm in der Luft das Gleichgewicht haltend, ging sie über den Hof auf ihre Tür zu.

»Meinen Sie?« sagte die Frau und folgte ihr einige Schritte. »Ich weiß nicht, ob sie jemals einen Sack Polentamehl gehabt hat. Ich weiß nicht, ob sich ihre Mutter so viel Sorgen um sie gemacht hat, daß sie ihnen einen Sack Polentamehl daließ.«

Erica hörte von der Höhe des Treppenabsatzes aus nicht zu. Sie sah, daß die Frauen von ihr sprachen, und hätte am liebsten nicht gerufen, nichts gesagt, damit man nicht von ihr sprach. Sie wußte: von ihr sprechen, das hieß, von ihrer Mutter sprechen, die fortgegangen war und nicht zurückkam.

»Nein, sie hat immerhin dafür gesorgt, ihnen ein Huhn dazulassen und Kohle und anderes«, sagte das dicke Mädchen. »Sie hat sich genug Sorgen um sie gemacht. Die Sache ist, daß sie schlauer sein könnte. Sie ist kein Kind mehr, sie ist vierzehn Jahre alt und könnte schlauer sein und sich nicht von dieser und jener ausplündern lassen.«

Erica hörte nicht zu. Die beiden Frauen waren nicht weit, sie waren in ihrem Teil des Hofes, geradezu vor ihr, unter dem Balkon, wo die Dickbäuchige den Bettvorleger ausschüttelte. Diese letztere nun hörte, wie die beiden Frauen beinahe miteinander stritten, da sich ihre Feindseligkeit gegen verschiedene Personen richtete: die der Alten gegen die Mutter und auch den Vater, die sich nicht mit der Arbeitslosigkeit abgefunden hatten, die der Jungen gegen Erica, die nicht schlau genug war, um allein zu leben, während sie selbst schon nicht mehr wußte, seit wann sie allein lebte. Dann hörte sie schließlich, wie die beiden unten einstimmig gegen Erica und gegen Ericas Eltern Stellung nahmen, und in diesem Augenblick mischte sie sich ein.

»Ich möchte wissen, was sie eigentlich meinte, als sie uns erzählte, daß sie ihren Sack Mehl nicht findet«, sagte sie.

Es fror draußen, die Luft war grau von verborgenem Eis, und der Hof schien leer zu sein. Aber andere Frauen und auch ein Mann kamen bei diesen heftigen Worten aus den Schlupfwinkeln ihrer Häuser, und auf dem Balkon weiter drüben in der Ecke, wo der Landvermesser wohnte, war ein Geräusch von Rolläden zu hören, die geschlossen waren und nun ein wenig nach außen gedrückt wurden, und hinter ihnen sprach die Frau des Landvermessers, ohne sich zu zeigen.

»Das möchte ich auch gern wissen«, sagte sie.

Das dicke Mädchen unter dem Balkon lächelte und sagte nichts. Alle Frauen unten im Hof blickten auf Erica, und Erica sah nicht hin, hörte nicht hin, war erschrocken über all das, was da aus einem dummen, unbedachten Wort von ihr entstanden war. Sie stand regungslos auf dem Absatz der Treppe und schien schweigend eine Anklage zu erdulden. Die Frauen betrachteten sie tatsächlich und zeigten sie einander wie eine Angeklagte.

»Ich glaube nicht, daß sie schlau genug ist, um irgend etwas unterstellen zu wollen«, sagte das dicke Mädchen.

»Ja, ja«, sagte die alte Frau. »Es ist eben nur so, daß sie

nicht mehr weiterkann und daß ihre Mutter nicht zurückkommt.«

»Es wäre höchste Zeit, daß sie zurückkommt«, sagte
eine andere.

So ging es weiter, und alle redeten davon, wie notwen-
dig es nun für das Leben der Kinder selbst sei, daß die
Mutter heimkomme, und Erica zog sich vom Treppenabsatz zurück an den Ort ihrer Lagerhäuser und Kohlengruben, um abzuwarten, bis die Leute aufhörten, von ihr
zu sprechen. Nicht einmal hinter der geschlossenen Tür
horchte sie auf das, was sie sagten, sie wußte, ohne hin-
zuhören, was sie sagten und wollte, daß sie aufhörten, daß
sie nur aufhörten, daß sie, so wie sie sich ihren Blicken
entzogen hatte, ihre Worte von ihr abzogen. Sie liebte an
den Menschen die Gesellschaft, liebte es, von Blicken und
Stimmen umgeben zu sein, vertraut mit Augen, die sahen,
mit Stimmen, die sprachen, vertraut auch mit Gedanken,
aber sie wollte nicht das Getrampel von Blicken und Stimmen auf ihr. Auf der Welt zu sein, hatte für sie nie etwas
anderes bedeutet, als mitten unter den Dingen und Menschen zu sein, so wie das Haus selbst und die Schwester
und der Bruder, die Kohle und das Petroleum für sie Menschen waren. Und nie hätte sie allein sein mögen, ohne
Menschen jenseits der Tür und des Fensters, deren Stimmen sie hörte, deren Augen und Gesichter sie sah, deren
Gedanken sie dachte. Aber nicht ertragen konnte sie die
gespannte Aufmerksamkeit, mit der zwei Augen oder
mehrere Augen berechnen, urteilen, verurteilen, und die

74

keine Gesellschaft mehr ist, sondern vielmehr das Gegenteil der Gesellschaft, ein Hindernis für jede Gesellschaft.

Das war es im Grunde gewesen, was ihr so viel Angst vor der Mutter eingeflößt hatte, und das zeigte sich nun, sogar schon seit einer Weile, bei den Leuten im Hof. Die Leute mißbilligten ihr Leben eines Mädchens ohne Mutter. Sie waren aufmerksam geworden auf ihr Leben eines Mädchens ohne Mutter und klagten an, verurteilten. Sie wollten nicht, daß sie weiter ohne Mutter lebte. Sie wollten, daß die Mutter zurückkehrte. Sie meinten, daß es Zeit für die Rückkehr ihrer Mutter sei. Aber warum? fragte sich Erica.

XV

Hier muß gesagt werden, daß sie keine Angst vor einer
Rückkehr der Mutter hatte. Die Mutter war nun nichts
mehr für sie, und sich an ihr knochiges Gesicht zu erinnern, an das zerzauste Haar, die großen Füße, das war, als
ob man sich an etwas aus der fernsten Kindheit erinnerte:
sinnlos in der Erinnerung für die Vergangenheit und
machtlos in der Wirklichkeit für die Zukunft. Aber eben
weil die Mutter nichts war und machtlos, weil sie nichts
tun konnte, und weil von ihr nichts zu erwarten war, nicht
einmal eine Antwort auf die Briefe, kam sie nicht auf den
Gedanken an ihre Rückkehr. Sie liebte ihr eigenes Leben
ohne Mutter, sie kannte kein anderes Leben als dieses, das
sie liebte und von dem sie wollte, daß es weitergehe, und
sie glaubte an nichts, was außerhalb dieses Lebens war.
Die Mutter stand außerhalb, und sie glaubte nicht an sie.
Wenn sie die alte Wirklichkeit der Gefahr nicht vergessen
und deren Wiederkehr befürchtet hätte, würde sie an die
Rückkehr der Mutter geglaubt haben. Aber sie hatte vergessen, und zufrieden, ruhig in ihrem Leben ohne Mutter,
in ihrer stillen Leere der Erinnerung und in ihrer gelasse-

nen Ungläubigkeit hinsichtlich der ganzen alten Gefahr hatte sie es nicht nötig, an etwas anderes zu glauben als an die Fortsetzung ihres gegenwärtigen Lebens ohne Mutter. Deshalb fühlte sie, wenn die Leute ihr mit Gewalt, von außen, den Gedanken an die Rückkehr der Mutter aufdrängten, den Zwang, und sie litt darunter, aber sie sah nicht, wohin es führen sollte. Sie sah, daß die Leute von ihr ohne Mutter nichts mehr wissen mochten, und sie war außerstande zu begreifen, was sie zu wollen glaubten mit ihrem Wunsch nach der Mutter. Sie beschränkte sich darauf, sich zu fragen, *warum* sie es wollten. Und das fragte sie sich nun hinter der Tür, an dem Ort ihrer Lagerhäuser und Kohlengruben, und sie fragte es sich so eindringlich, daß sie, als sie (nachdem sie gehört hatte, daß keine Leute mehr im Hof waren und sie herausgekommen und die Treppe hinuntergegangen war, um ins Haus zurückzukehren) die dickbäuchige Frau des Steuerbeamten antraf, die auf sie wartete, es plötzlich zu wissen und immer gewußt zu haben glaubte.

Die Dickbäuchige, die schwanger zu sein (oder den Sack Mehl verschluckt zu haben) schien, erwartete sie auf der Schwelle des Hauses, hielt ein Tuch unter dem Arm und klopfte an. Erica sah das Tuch und dachte sofort, daß es Polentamehl enthielt, und sie glaubte, das *Warum* zu kennen, nach dem sie sich gefragt hatte. »Da bin ich«, sagte sie, sprang von der verfallenen Treppe, trat neben sie und stieß die Haustür auf.

Die Frau war so klein gewachsen, wie es Erica von weitem nie vermutet hätte, so klein, daß sie ihr mit der Stirn nur bis zur Schulter reichte, und Erica war schüchtern, als sie sie eintreten ließ.

»Hier«, sagte die Frau zu ihr, so wie sie es erwartet hatte. »Es tut mir leid, daß du deinen Sack Mehl verloren hast, und ich habe dir ein wenig Polentamehl gebracht. Ich möchte nicht, daß du nichts zu essen hast…«

Sie trat nicht sehr sicher auf, sie war nicht unbefangen, sie sprach stockend, aber Erica hatte nicht den Verdacht, daß sie es gewesen sein könnte, die den Sack Mehl hatte verschwinden lassen. Nicht einen Augenblick hatte Erica den Verdacht gehabt, daß es vielleicht jemanden gab, der den Sack Mehl hatte verschwinden lassen; sie hatte den Bauch der Frau betrachtet, sie hatte gedacht, daß er aussah wie ein Bauch voll Mehl, aber das war alles in der augenblicklichen Verschrobenheit ihrer Gedanken geschehen; und jetzt dachte sie keineswegs an den Grund für das Verschwinden des Sackes, sie dachte nur an das *Warum*, nach dem sie sich gefragt hatte und das ihr nun bewußt wurde.

Deshalb also! Deshalb also! dachte sie. Die Leute wollten, daß ihre Mutter zurückkehrte, weil sie fürchteten, ihr Mehl bringen und andere Dinge geben zu müssen, wenn ihre Mutter nicht zurückkam. Sie glaubten, daß sie ohne Mutter nichts mehr zu essen hatte und haben konnte und daß sie ihr deshalb Mehl und anderes zu essen geben müßten. Sie glaubten, es zu müssen, und natürlich paßte es ihnen nicht, wie es dem Metzger nicht paßte, Fleisch zu geben, und dem Bäcker nicht, Brot zu geben, ohne dafür bezahlt zu werden. Erica wußte nur zu gut, daß es ihnen nicht paßte. Ihr ständiges Unbehagen im Umgang mit dem Metzger und dem Mann vom Backofen war daher gekommen, daß sie es von jedem wußte und daß es so etwas war wie das, was Eltern tun; daß sie wie Eltern glaubten, handeln zu müssen, geben zu müssen, und daß sie nicht ebenso wie Eltern Freude daran hatten zu handeln und zu geben; daß sie es vielleicht auch nicht konnten und Abscheu empfanden, weil sie es nicht konnten, und Haß in dem Abscheu, es nicht zu können. Aber sie erwartete nichts dergleichen von den Leuten. Vom Metzger und vom Bäcker hatte sie mehr aus alter Gewohnheit, zu ihnen zu gehen, um Dinge zu holen, etwas genommen als aus einem anderen Grunde. Und sie hatte nicht darauf bestanden, sobald sie ihr gesagt hatten, nun habe es ein Ende. Sie erwartete nicht, daß die Leute ihr etwas gaben. Sie wollte in den Leuten keine Eltern sehen. Sie wollte die Dinge, weil die Dinge da sein mußten, die Kohle, das Petroleum und alles übrige, aber sie wollte sie aus dem Schoß der Dinge selbst und nicht von Eltern und Leuten. Auf irgendeine Weise mußte es möglich sein, sie so zu bekommen, sie hatte sie zwei Monate lang so gehabt und wollte sie weiterhin so haben.

Aber die Frau mit ihrem kleinen dickbäuchigen Leib war in gewisser Hinsicht eine Mutter, und Erica war schüchtern, sie wußte nicht, wie sie ihr sagen sollte, daß sie von den Leuten nichts erwartete. Sie ließ zu, daß sie das Tuch auf dem Tisch ausbreitete, das Gelb des Mehls entblößte und wiederum sprach. »Das kann dir für heute und morgen reichen, aber was machst du dann?«

Die Frau befürchtete, wieder kommen und ihr dann noch mehr geben zu müssen, das sah Erica, und sie machte eine abwehrende Geste.

Sie will alles, dachte die Frau und wurde aggressiv.

»Ich will annehmen, du hast nicht daran gedacht, dich mit mir anzulegen, als du anfingst zu schreien, daß du deinen Sack Mehl nicht findest«, sagte sie. »Ich will annehmen, du weißt, daß ich es nicht nötig habe, irgend jemandem einen Sack Mehl zu stehlen. Ich denke mir, es gibt in diesem Hof genug arme Leute, die man eher verdächtigen könnte als mich …«

»Aber, ich verdächtige niemanden«, sagte Erica.

»Ah, gut«, sagte die Frau. »Gut, Mädchen. Ich nehme an, es ist immer besser, niemanden zu verdächtigen, aber wenn du daran denkst, alle auf die gleiche Weise zu verdächtigen, irrst du dich wieder. Denn der eine hat ein Gewissen, und andere haben kein Gewissen, und du müßtest blind sein, um nicht zu sehen, wer ein Gewissen mit einem guten Herzen hat, das er dir zeigt, wenn er, weil er weiß, daß du am Ende nichts zu essen hast, herkommt und dir Mehl bringt. Du kannst damit zwei Tage Polenta machen, und unterdessen hast du Feuer im Herd und kannst immer noch Gott danken. Und später, wenn du nicht weißt, was du anfangen sollst, wird es mir leid tun und ich möchte wieder mit Mehl oder etwas anderem kommen wie heute, aber ich könnte dir besser helfen und dich für immer als Dienstmädchen aufnehmen, wenn...«

»Nein«, sagte Erica, die endlich einsah, daß sie ihre Schüchternheit überwinden mußte.

Sie sah in dem Angebot der Frau, sie als Dienstmädchen zu nehmen, einfach den größten Widerwillen, etwas tun zu müssen, geben zu müssen, und sie dachte, dies sei der Gipfel und sie müsse sich beeilen abzulehnen, sie müsse allen, wie sie da waren, ihren Irrtum begreiflich machen. Da waren sie nun schon so weit zu glauben, sie seien verpflichtet, sie als Dienstmädchen aufzunehmen, und wer weiß, wie weit sie noch gingen mit ihren vermeintlichen Verpflichtungen. Sie mußte ablehnen und ihnen zeigen, daß sie nichts von ihnen erwartete. Sie schlug die vier Zipfel des Tuches zusammen und ging mit dem Tuch voll Mehl, das herausrieselte, zur Tür. Sie mußte eine öffentliche Geste der Ablehnung vollziehen. Sie mußte allen, wie sie da waren, zeigen, daß sie ein Geschenk und jede Möglichkeit eines Geschenks zurückwies, und daß sie in ihrem Leben ohne Mutter von niemandem mütterliche Hilfe wollte.

»Nein«, sagte sie, »Sie haben nichts zu befürchten, Sie brauchen sich nicht verpflichtet zu fühlen...«

Sie kam an der Tür an, und die Frau war zutiefst erschrocken, sie wollte sie zurückhalten, wenigstens die Tür schließen, die von Anfang an offen geblieben war, aber es gelang ihr nur, zur gleichen Zeit wie Erica auf den Hof hinauszukommen, und es sah so aus, als jagte Erica sie aus dem Haus. Jetzt standen noch andere, die Bettvorleger ausschüttelten, auf den Balkons, Frauen und Kinder gingen über den Hof, und das dicke Mädchen leerte in der allgemeinen Müllecke ihren Kehrichtkasten aus. Ihnen allen schien es, als jagte Erica die Dickbäuchige davon. Und da diese Erica bei dem Versuch, sie zurückzuhalten, am Arm gepackt, und Erica bei dem Stoß einen Zipfel des Tuchs losgelassen hatte, und das Mehl sich über das Haar und die Schultern der Frau ergoß, die um soviel kleiner als sie war, sah es für alle so aus, als schüttete Erica ihr dieses Mehl ins Gesicht.

»Ihr habt nichts zu befürchten, ihr braucht euch nicht verpflichtet zu fühlen…« sagte Erica laut.

Und das dicke Mädchen brach in ein schallendes Gelächter aus. »Ah, die Erica!« sagte sie. »Ah, die Erica! Diesmal ist sie schlau gewesen, die Erica!«

Die Dickbäuchige lief auf ihr Haus zu, und das ganze restliche Mehl flog in der Kälte des Hofes hinter ihr her. Die Frauen auf den Balkons schüttelten ihre Bettvorleger aus. Es sah beinahe so aus, als wäre das Mehl von einer von ihnen davongeflogen. »Ah, die Erica!« sagte das dicke Mädchen noch einmal.

XVI

Es war Mitte Januar, und seit vielen Tagen hatten die Kinder kein Brot mehr noch etwas, was Brot ähnelte; sie aßen Suppe, die mit einem halben Löffel Öl abgeschmeckt war, sonst nichts.

Im Hof dachten die Frauen, die Ehefrauen und Mütter von Arbeitern: Was wird sie jetzt tun? Es waren alte Frauen, ältliche Frauen, junge Frauen, Frauen mit einem Ehemann oder Liebhaber oder Witwen und Mütter junger Burschen, die schon arbeiteten, Mütter von Männern, kränkliche und ungekämmte (oder blühende) Mütter von Kindern, die barfuß (oder nicht barfuß) im gefrorenen Schlamm spielten, Frauen, die sich wuschen, und Frauen, die sich nicht wuschen, Frauen, die kräftig nach ihrem Frausein stanken, Frauen, die nur nach schrecklichem Elend stanken, Frauen, die sich vom Unglück des Elends überwältigen ließen, und Frauen, die standhielten und mehr von dem Glauben an die einfache Tatsache des Daseins erfüllt waren als von der Angst vor dem Elend, Ehefrauen von Arbeitslosen, Mütter von Arbeitslosen, Mütter der Arbeitslosigkeit selbst und Frauen von Arbeitern, die genug verdienten, um mehr als einmal die Woche ihr Kotelett zu essen, wenn auch ihre Frauen zusahen und nur die Männer das Kotelett aßen, die Arbeiter, die Gottgleichen, die zufrieden waren, gearbeitet zu haben, und blind waren vor Stolz, gearbeitet und verdient und ihren Pakt mit der Gesellschaft eingehalten und den guten Geruch und den guten Bratengeschmack eines Koteletts erobert zu haben und die vielleicht glaubten, daß eine Frau kein Kotelett brauchte und daß die Söhne Zeit hatten, Koteletts zu essen, wenn sie ihrerseits arbeiteten und verdienten. Solche Frauen waren das, außer den Frauen der kleinen Angestellten, in der Welt des Hofes, und ihr Elend, ihre Mühsal, ihr Kampf, die ganze Verworrenheit und Arbeitsamkeit ihres täglichen Lebens ließen ihnen nicht viel Zeit, schlecht zu sein oder gut zu sein, ja nicht einmal neugierig zu sein, zu klatschen, sich moralisch zu entrüsten. Und so wenig Zeit hatten sie für all das, daß sie sich nie Ericas erinnerten, während sie ihren häuslichen Verrichtungen nachgingen oder während sie morgens ihre Bälger anzogen oder während sie das Essen zubereiteten oder während sie aßen, kurz, während sie untergetaucht waren in die Geschäftigkeiten ihres Daseins.

Nie hatten sie im Haus, bei Tisch, im Bett auf irgendeine Weise von Erica gesprochen; und ihre Männer, ihre Söhne wußten fast nichts von Erica ohne Mutter. Sie sahen das Mädchen manchmal mit dem Eimer über den

Hof gehen oder über den Platz zum Brunnen und betrachteten sie dann immer mit der heiteren Miene, mit der man jedes heranwachsende Mädchen betrachtet. Sie wußten nicht, daß Erica ohne Mutter lebte und all das andere; und ihre Augen ruhten wohlgefällig auf ihren runden Armen, dem wachsenden Fleisch, der Frau, sie sahen nur die erfreuliche Tatsache dieser neuen Weiblichkeit, die den Hof mit etwas Jungem und Schönem bereicherte. Und das erwies sich als tröstlich für Erica: ab und zu betrachtet zu werden ohne Mitleid, ohne Bestürzung, ohne Tod, mit Augen, die in ihr nur das lebende Wesen sahen und sie uneigennützig mit Leben füllten, Gefährten des Lebens. Es half ihr sehr, so betrachtet zu werden, es war eine Anerkennung und Bestätigung ihrer Art zu leben, und es war die einzige Hilfe, die sie von den Menschen wollte. Und sie nahm sie an in den seltenen Augenblicken, in denen sie ihr zuteil wurde, so als käme sie von allen Menschen zusammen und nicht von Männern, die an ihr als Mädchen Gefallen fanden, weshalb sie allen Menschen zusammen viel verzieh und keine besondere Dankbarkeit als Mädchen gegenüber den Männern hegte, obwohl sich unter ihnen, unter den Männern, so mancher Bursche, der die ersten Jahre arbeitete und verdiente, wenn er sie betrachtete, fragte, ob es nicht schon angebracht sei, ihr ein Band zu schenken oder eine Spange oder ihr eine Blume zu geben. Und es mag sein, daß einer dieser jungen oder auch nicht jungen Männer zu Hause der Mutter, den Schwestern, der Frau gegenüber bemerkte, wie groß Erica geworden sei und so fort; aber die Frauen erinnerten sich bei all ihren Bemühungen um die Männer nie an die Existenz Ericas und sagten gewiß »ja« oder »das ist wahr« oder »natürlich« und fügten wohl auch hinzu: »Armes Ding«, beinahe so, als wäre dieses Gesprächsthema zwischen ihnen und ihren Männern längst erschöpft.

Anders war es, wenn sie (in den Stunden, in denen die Männer fort, bei der Arbeit, waren oder auf den Gehsteigen, bei der Suche nach Arbeit, ihre Arbeitslosigkeit verdauten) im Hof hin und her gingen oder hinter den Scheiben ihrer Fenster standen, ohne etwas tun zu müssen und ohne Kinder im Haus, oder wenn sie sich, mit dem Ausfegen fertig, einen Augenblick zufrieden fühlten, am Leben zu sein. Dann dachten sie an Erica und erinnerten sich an alles, was die Existenz Ericas bedeutete; und in solchen Augenblicken hatten sie in der ersten Zeit sehr gut von ihr gedacht und geglaubt, sie zu lieben, sie zu behüten, ihr zu helfen; und in solchen Augenblicken machten sie sich jetzt, ein wenig mit Zorn und Ärger und Verdruß, ein wenig bestürzt, Sorgen über ihren hoffnungslosen Fall. Was wird sie jetzt tun? dachten sie. Sie sahen wohl die Kleineren, Lucrezia, Alfredo, immer noch in die Schule gehen und den ganzen Nachmittag barfuß spielen; sie sahen Erica über den Hof zum Platz und zum Brunnen gehen, um Wasser zu holen. Und sie betrachteten die Kinder mit den Blicken des Todes, die Erica so tödlich verwundeten. Was wird sie jetzt tun? Was wird sie jetzt tun? dachten sie. Und sie glaubten, daß sie vielleicht schon einen ganzen Tag lang keine Speise mehr angerührt hatte. Und immer, wenn sie einander im Hof begegneten oder sich in den Haustüren unterhielten, tauschten sie besorgte Worte aus. Was wird sie jetzt tun?

»Oh, ich war nicht größer als sie«, sagte das dicke Mädchen, »als meine Schwester mich aus dem Haus jagte, weil ihr Mann angefangen hatte, mir den Hof zu machen.« Sie war redselig, erzählte gern von sich selbst. »Und ich denke doch, ich bin irgendwie zurechtgekommen«, sagte sie. »Und ich habe es geschafft und jetzt bin ich hier.« Und da sie wußte, daß sie ein Mädchen mit einem einjährigen Sohn ohne Vater war, beeilte sie sich hinzuzufügen: »Es gibt tausend Arten durchzukommen … Es genügt, schlau genug zu sein, um nicht eine dieser Stuten zu werden, die für ihre Männer die Mistkarre ziehen …« Sie war stolz auf ihre eigene Moral, derzufolge sie als gemeines Unglück jede Form dessen verabscheute, was sie »die Mistkarre ziehen« nannte; aber sie nahm stolz für die armen Frauen wie sie das Recht in Anspruch, sich im tiefen Unglück des Elends nicht mit damenhaften Skrupeln zu plagen. Sie sagte, es gebe keinen Grund, sich nicht »dieses einzige Vergnügen« zu nehmen, das sich eine arme Frau in ihrem Leben nehmen kann. »Wir Armen werden nicht als Jungfrauen geboren«, sagte sie und brachte alle zum Lachen, aber sie selbst lachte nicht, sie war voll Feuereifer und schrie, wütete, daß eine Frau, die sich im Schweiße ihres Angesichts ihr Stück Brot ergatterte, nicht Jahr um Jahr Entbehrungen auf sich nehmen kann, weil sie an einen Mann denkt, der dann doch nicht kommt. Sie bestand jedenfalls auf der Schlauheit; sie rühmte sie als die größte, die unerläßliche Tugend einer armen Frau, um sich durchs Leben zu schlagen; und hier kehrte sie an den Ausgangspunkt ihrer ganzen Rede zurück, sie kehrte zurück zu Erica, die ihr noch immer nicht wirklich schlau zu sein schien. Was wird sie jetzt tun? Was wird sie jetzt tun? flüsterten die Frauen; und sie sagte nichts mehr, sie dachte, vielleicht können eben nicht alle mit vierzehn Jahren schlau genug sein, und sie dachte: »Ich habe so eine Angst! Ich habe so eine Angst!«

Und doch war sie die einzige unter den Frauen, die Erica mit Augen betrachtete, in denen keine Angst stand. Sie erschien zur Essenszeit in Ericas Tür und sah zu. »Was machst du Gutes, Erica?« fragte sie. Und wenn Erica auch ihr gegenüber argwöhnisch und verschlossen war, so sah sie doch, daß das Mädchen Feuer im Herd hatte, und beruhigt ging sie wieder. Sie hielt die Frauen auf dem laufenden. »Sie hat noch ein paar Nudeln«, sagte sie. »Sie hat noch ein wenig Öl. Ihre Mutter hat genug für sie vorgesorgt.«

Aber Erica hatte kein Petroleum mehr, um abends die Lampe anzuzünden, und sie hatte keine Kohle mehr. Sie klammerte sich an den Brief, den sie als innige Bitte unfrankiert an die Geister der Kohle und des Petroleums abgeschickt hatte. Sie hatte allerdings noch Holz und konnte immer noch Feuer im Ofen machen; das Haus würde nicht gefühllos und kalt sein, solange sie noch Holz hatte.

Sie verwendete Holzscheite, um die Suppe zu kochen, sie beschied sich damit, im Feuerschein des Holzes, bei offenem Ofentürchen, die Gesellschaft zu suchen, die ihr die Lampe gegeben hatte. Dennoch war sie traurig, daß keine Kohle und kein Petroleum mehr da waren. Sie hatten eine große Leere im Tag hinterlassen; es gab keine Gruben und Brunnen mehr, an die man denken konnte; und der Zauber ihres Lebens, das eines Mädchens ohne Mutter, hatte (weil nichts mehr da war, was ihn mannigfaltig und reich machte) nicht mehr die alte Kraft, und beinahe brachte er sie zum Weinen. Sie hing mit einem letzten Faden kindlicher Hoffnung an dem abgeschickten Brief, aber sie wurde enttäuscht, und in der Bitterkeit ihrer Enttäuschung wußte sie nun, daß vielleicht auch das Holz zu Ende gehen würde, daß alles enden würde und daß sie wirklich nicht weiterleben konnte, wie sie bis dahin gelebt hatte. Sie hatte die Existenz von etwas Unheilvollem kennengelernt, von einem Geist, der wirklicher war als die Geister der Kohle und des Petroleums, der, in der Zeit verborgen, schlang und schlang mit einem Hunger, der größer war als jeder Vorrat und der vielleicht der einzige Geist war, aber eben ein böser Geist. Ja, die Zeit währte länger als jeder Vorrat, sie hatte es nicht vorausgesehen, aber nun, da sie das Ende des Petroleums und der Kohle erlebt hatte, sah sie ihre beharrliche Wahrheit, die sie allem anderen überlegen machte.

XVII

Was wird sie jetzt tun? Was wird sie jetzt tun? dachten die Frauen im Hof nach wie vor. Und sie sagten es nach wie vor, und das dicke Mädchen trat, rot gekleidet, bei Erica ein und versuchte, durch ihr Mißtrauen hindurch die Tiefe des Unglücks auszuloten.

Sie sah, was nun Ericas Speise war: Wassersuppe und Nudeln, die nur mit Salz gewürzt waren, weil die Ölflasche aufgehört hatte, Öl zu spenden. Aber darüber regte sie sich nicht auf. »Ich denke mir, sie wird nicht die einzige sein, die heute in diesem Hof so ißt«, sagte sie sich. Sie erregte sich vielmehr über die offensichtliche Teilnahmslosigkeit Ericas angesichts der absoluten Leere des Morgen, anscheinend ohne zu begreifen, daß es eine absolute Leere sein werde, und ohne zu versuchen, etwas zu tun, Abhilfe zu schaffen, sich durchzuschlagen, ohne auch nur einen Gedanken an die Notwendigkeit, sich durchzuschlagen. Das ärgerte sie. Und sie begann, sich verpflichtet zu fühlen, das Mädchen zu wecken.

Sie wurde bei dem Mädchen zur Überbringerin, zur

freundlichen, warmherzigen Überbringerin des trostlosen »Was wird sie tun?« der Frauen. Sie stellte Fragen. Aber sie sah Ericas Widerwillen gegen diese Fragen und hörte bald wieder auf. Sie fühlte sich zu sehr gereizt, sie war außerstande zu verzeihen, sie, die mit vierzehn Jahren das Haus der Schwester verlassen hatte, entschlossen, sich ihr Brot selbst zu verdienen. Sie kam jedoch wieder, und sie begann von neuem, mit Herzlichkeit, mit Freundlichkeit, mit neuer Geduld, immer mit der Absicht, das Mädchen zu wecken.

»Die Zeit geht vorbei, meine Liebe!« sagte sie.

»Ja«, sagte Erica.

»Und die Dinge, die Vorräte gehen zu Ende.«

»Ja«, sagte Erica.

»Und der Himmel schickt sie uns nicht.«

»Ja«, sagte Erica.

»Was heißt ja?« rief das dicke Mädchen. »Der Himmel schickt sie uns?«

»Nein, der Himmel schickt sie uns nicht«, sagte Erica.

»Was dann?« rief das dicke Mädchen gereizt.

Und sie ging, kehrte später wieder zurück, an einem anderen Tag, um immer herzlich und freundlich sein zu können, während sich Erica davor fürchtete, sie wieder erscheinen zu sehen, erschrocken darüber, durch sie ein Bewußtsein zu erlangen, das jede Spur von Glauben an das Wunder der Vorräte, an die Geister zerstörte, kurz, an die Möglichkeit, das zum Leben Nötige vom Leben selbst zu erhalten.

»Den Lebensunterhalt muß man sich verdienen, meine Liebe!« sagte das dicke Mädchen.

»O ja!« sagte Erica.

Sie wußte auch wirklich, daß die Leute, die Männer, sich anstrengten, ihn zu verdienen. Aber sie wußte nichts von dem Mechanismus, ihn zu verdienen. Sie sah nur die Großen, die ihn sich verdienten, und glaubte, daß nur sie es könnten, daß nur für sie jede Art, sich den Lebensunterhalt zu verdienen, wirklich und unmißverständlich eine Art sei, sich ihn zu verdienen. So hatte sie in diesen zwei oder drei Monaten glauben können, daß es für sie, die nicht groß war (und natürlich für alle nicht Großen) nur darauf ankam, Vorräte und Vorräte zu haben, bis auch sie groß geworden sei. Und das war nicht eigentlich ein Glaube an etwas Übernatürliches, sondern an eine übernatürliche Eigenschaft, an eine übernatürliche Natur der Materie: eine Kraft der Materie zu dauern, solange man sie brauchte und bis sie selbst groß geworden war und auch die Fähigkeit erworben hatte, sich den Lebensunterhalt zu verdienen.

Aber nun war sie in ihrem Glauben enttäuscht; und sie zitterte, wenn sie das dicke Mädchen argumentieren hörte, sie fürchtete, durch sie endgültig zu erfahren, daß die Zeit das einzig Wahre sei, schrecklich beim Verschlingen der Vorräte und langsam, viel zu langsam, wenn es darum ging, die Jahre zu verschlingen und auch sie groß werden zu lassen. Sie rechnete nach, wieviel Jahre sie noch brauchen würde, um wirklich groß zu sein. Sie glaubte, dreißig. Sie glaubte, mindestens zwanzig. Und sie sah die Endlosigkeit der Zeit vor sich, die sie noch durchleben mußte. »O ja«, antwortete sie dem dicken Mädchen und sah sich mit verlorenen Blicken um.

Die Dicke dachte, sie habe keine Lust zu arbeiten. Daher war sie immer fester davon überzeugt, sie wecken zu müssen. Sie wollte sehen, welche Vorräte ihr noch blieben. Und irgendwie gelang es ihr zu spähen, vorzufühlen, ihre Sonden einzutauchen. Und dann sagte sie:

»Du hast gerade noch Nudeln für heute abend und morgen. Aber was wirst du dann tun?«

Und weil sie keine Antwort erhielt, ging sie gereizt und ließ Erica allein, die sich mit verlorenen Blicken umsah.

»Du hast noch Holz für drei Tage«, sagte sie. »Aber was wirst du dann tun?« Und wieder ging sie gereizt und ließ Erica wieder allein, die sich mit verlorenen Blicken umsah.

Erica fragte sich schließlich selbst, was sie tun sollte. Was sollte sie tun? Was für eine Art zu leben und Vorräte zu haben, konnte sie finden? So weit hatte das dicke Mädchen sie gebracht und dann allein gelassen. Und allein damit, ohne noch an etwas zu glauben, sah Erica die Leere, die sie erwartete, wie eine Erwachsene sie sehen kann; aber sie glaubte nicht, ihr entgegentreten zu können, wie eine Erwachsene zu glauben vermag, ihr entgegentreten zu können.

Sie glaubte nicht, daß es ihr, die noch nicht groß war,

möglich wäre zu arbeiten und sich ihren Lebensunterhalt zu verdienen. Sie glaubte nicht, daß man ihre Arbeit, was es auch sein mochte, als regelrechte Arbeit schätzen würde, als die Arbeit einer Großen. Sie glaubte nicht, daß die Arbeitgeber der Arbeit von ihr, einer nicht Großen, irgendeine Bedeutung beimessen und sie eines Lohnes wert finden könnten. Rein hatte sie in ihrem Geist die Worte der Dickbäuchigen über die Hilfe bewahrt, die sie ihr hätte bieten können, indem sie sie als Dienstmädchen aufnahm. Anfangs waren sie dunkel, schmutzig gewesen, diese Worte. Aber wie Kieselsteine, die man schmutzig in einen Bach wirft, waren sie rein geworden in dem langen, reinen Strömen ihres Geistes. Sie sagten: Komm nur und arbeite dank unserer Güte als Dienstmädchen. Das war es also. Aus Güte konnte man ihr, die noch nicht groß war, Arbeit geben, so wie aus Güte die Eltern für den Unterhalt ihrer Kinder sorgen. Güte, Güte … Es war ein Werk der Güte, sich um sie zu kümmern. Und sie wollte keine Güte. Sie wollte mit der Güte nichts zu tun haben. Sie wußte, was das war: dieses Gefühl der Verpflichtung, etwas zu tun und zu geben. Und dazu wollte sie nicht Zuflucht nehmen. Sie wollte von keiner Güte Arbeit erbitten. Ebensowenig wie sie um Vorräte bitten mochte.

Im übrigen beschränkte sich die Dicke in ihrem Bemühen, sie zu »wecken«, darauf, panische Angst in ihrem Geist zu verbreiten, und nie sagte sie ihr, was sie hätte tun können. Sie dachte auch nicht daran. Sie wollte, daß das Mädchen aufwachte, nichts anderes. Was sie zu tun hatte, mußte sie selbst herausfinden. Sie mußte sich selbst durchschlagen. Aber als sie mit den Frauen sprach, die immer banger ihre Frage stellten: »Was wird sie tun? Was wird sie tun?«, wurde sie schließlich gewahr, daß sehr wenig zu finden war.

Sie sagte, schon zögernd, daß es Fabriken gebe, Baumwollspinnereien und dergleichen, in denen sich auch ein kleines Mädchen fünf Lire am Tag verdienen könne; aber die Frauen machten sie darauf aufmerksam, daß zwischen den Fabriken und einem kleinen Mädchen immerhin die Arbeitslosigkeit stand. Sie sagte, es gebe Hemdenfabriken und so fort, die Nähereien als Heimarbeit vergäben, die sie selbst gerade auch mache. Aber die Frauen fragten sie, warum sie sich dann nicht in ihren Hemdenfabriken erkundige, ob sie nicht auch ein wenig Arbeit für Erica hätten. Das dicke Mädchen wurde wütend auf die Frauen, die Frauen wurden wütend auf das dicke Mädchen.

Alle waren verärgert, sie hatten es satt, über Erica nachzudenken.

»Hier geht es darum, daß man ihr Almosen geben muß«, sagten sie. »Und was für Almosen können wir ihr geben, wenn wir nicht genug Brot für uns selbst haben?« Es war genau so, wie Erica es sich dachte. Sie wollten sich nicht verpflichtet fühlen, etwas zu tun und zu geben. »Warum geht sie nicht zu den Damen von San Vincenzo?« sagten sie. »Sie könnten sie vielleicht alle in einem Heim unterbringen.«

Und Erica hörte es, obwohl sie nicht lauschte. Sie hatte

eine Handvoll Nudeln, um noch einen halben Teller Suppe zu kochen, und sie hörte all das, von den Almosen, von den Damen von San Vincenzo, von irgendeinem Heim, aber sie war entschlossen, von den Leuten nichts anzunehmen, was nach Almosen schmeckte. »Oh!« dachte sie. »Oh, wenn es doch eine böse Arbeit gäbe, eine so böse Arbeit, daß es böse von ihnen wäre, sie mir zu geben!« Ja, das war es, was sie gern gefunden hätte: eine böse Arbeit, eine so böse, daß es auf keinen Fall ein Werk der Güte sein könnte, sie ihr, die noch nicht groß war, zu geben. Es mußte sich eine solche Arbeit für die noch nicht Großen finden, die es auch ihnen erlaubte, sich ihren Lebensunterhalt zu verdienen. Und sie dachte nach…

Im Hof sprachen die Frauen von der Dickbäuchigen. »Die gnädige Frau würde sie als Dienstmädchen einstellen…« sagten sie.

Erica stand hinter der Tür und hörte es. Sie stand dort aus Angst, sie lauschte nicht, aber sie hörte es. Sie hatte nur noch eine Handvoll schimmeliger Nudeln, um noch einmal zu kochen, und sie stand da wie auf Wache. Die Angst, »was sie tun sollte«, trieb sie dazu, dort zu stehen, und es wurde daraus die Angst vor dem, was die Leute vielleicht tun wollten, um ihr zu helfen… Angst, Besorgnis… Und Erica bezog zitternd Wache hinter der Tür, entschlossen, abzulehnen, zurückzuweisen, sich zu verteidigen und sich nicht in die Gewalt einer »Güte« zu begeben, die von ihr Besitz ergreifen wollte.

XVIII

Unterdessen dachte sie nach. Sie dachte immer noch an die Möglichkeit einer bösen Arbeit, durch die sie sich ihren Lebensunterhalt verdienen könnte. Man müßte, dachte sie, eine jener Hexen finden, die an einem Tag ein ganzes Haus voll Wolle gesponnen haben wollen. Es wäre keine Güte seitens einer Hexe, soviel Wolle gesponnen zu wollen. Es wäre eine Schlechtigkeit. Es war allgemein bekannt, es stand fest und war gewiß, daß das Schlechtigkeit wäre. Es wäre also eine Arbeit …

Aber es mußte auch wirklich eine Hexe sein, eine Alte mit einem zerzausten Schopf und einer krummen Nase, eine, die mit der Stimme eines Käuzchens lachte und von sich selbst sagte, daß sie eine Böse sei, und von der alle, in der ganzen Stadt, wußten, daß sie eine Hexe und böse war, und bei der man Gefahr lief, geschlachtet und gegessen zu werden, wenn man ihre Wolle nicht spann … Andernfalls wäre es für sie, die nicht groß war, auch keine Arbeit, an einem Tag ein Haus voll Wolle spinnen zu müssen. Denn beispielsweise seitens der Dickbäuchigen wäre es keine Schlechtigkeit, an einem Tag so viel gesponnene Wolle zu verlangen. Von ihnen, von einer der »Damen« mit den Männern, die violette Hüte trugen, oder von irgendeiner der anderen Frauen, wäre es nie und nimmer Schlechtigkeit, einem Mädchen einen Berg Wolle zum Spinnen oder etwas anderes oder Schlimmeres zu geben. Ihrerseits wäre es Güte. Sie würden sagen: siehst du, wie gut wir sind, dir all diese Wolle zum Spinnen zu geben? Und alle Welt würde denken: Wie gut sie doch zu diesem Mädchen sind! Und wenn es ihr dann bis zum Abend nicht gelungen wäre, auch nur ein Zehntel von soviel Wolle zu spinnen, würden sie sagen: O Mädchen, du verdienst unsere Güte nicht! Und alle würden denken, daß sie ihre Güte nicht verdiente! Und Erica wollte keine Güte verdienen, nein, das wollte sie nicht. Lieber wollte sie die Gefahr auf sich nehmen, geschlachtet zu werden. Sie wollte es mit der eindeutigen Schlechtigkeit einer Hexe zu tun haben, für die ihre Beschäftigung unmißverständlich nichts anderes war als Arbeit für den Lebensunterhalt. Und sie dachte nach und suchte in ihrem Gehirn…

Ihr Gehirn war noch frisch von Märchen und Kindheit; und sie hatte an die Hexen gedacht, aber sie wußte auch, daß es keine Hexen mehr gab, es sei denn vielleicht solche, die auch gut waren. Und sie suchte weiter in der Vergangenheit, im Gedächtnis. Da erinnerte sie sich an die Worte des Vaters, der Männer. Und sie entsann sich des Wortes, das ein Peitschenhieb in das Gesicht einer

Frau ist, sie verweilte dabei wie neben einem Stein, den man aufheben muß, um etwas darunter zu finden. Es war ein gewöhnliches Wort, das man jeden Tag hörte und das keinen Sinn hatte, so wie es Tag für Tag gesagt wurde. Aber sie verweilte dabei.

Der Tag der letzten Handvoll Nudeln war vorüber. Nun war der erste Tag gekommen, an dem es nichts mehr zu essen gab. Lucrezia und Alfredo waren in der Schule. Es war Vormittag und wieder graues Wetter voll verborgenen Eises, und es war kalt im Haus, in dem es nichts mehr zu essen geben sollte. Und die Dicke war gekommen, sie hatte es gesehen.

Erica hörte sie im Hof mit anderen Frauen sprechen. Sie hörte, wie sie sagte: »Habt ihr hartes Brot?«

»Aber warum geht sie nicht zur Gemeinde? Warum geht sie nicht zu den Hilfswerken?« hörte sie die anderen Frauen immer wieder sagen. Sie aßen hartes Brot, sie kochten Suppe daraus, sagten sie. Und eine sagte, daß sie seit einem Monat nichts anderes esse als das: hartes Brot, das ihr Mann in den Häusern erbettelte.

Es gab einige Aufregung. Manche brachten jedenfalls hartes Brot und warfen es in die Schürze des dicken Mädchens. Aber morgen? Aber danach? Man sprach wieder von der Dickbäuchigen. Von ihrer Güte, von ihr, die Erica als Dienstmädchen aufnehmen konnte. Und Erica hätte am liebsten eine Waffe in der Hand gehabt, um sich zu verteidigen, während sie im Innersten an dem bewußten Wort festhielt.

Als aber das dicke Mädchen bei ihr eintrat, um ihr das Brot zu geben, konnte sie nicht sprechen, um sie hinauszuwerfen. Sie war letzten Endes ein schüchternes Wesen. Und die Dicke war wütend, weil sie etwas für Erica getan hatte; sie warf diese schmutzigen Brotsteine auf den Tisch und behandelte Erica schlechter als je zuvor. Sie nannte sie sogar eine »dumme Ziege«, vielleicht, weil Erica ihr nicht dankte, und sie ging und schlug die Tür hinter sich zu. Aber Erica nahm diese Brotsteine nicht und warf sie ihr nicht nach, sie tat gar nichts.

Lucrezia und Alfredo kamen aus der Schule, und auf dem Tisch lagen die Brotsteine, sie sahen sie, diese beiden kleinen Sperber, sperrten die Schnäbel auf und nahmen sie mit, um sie zu verschlingen, und flogen fort zu ihren Spielen. Sie sahen sich nicht einmal um, wo Erica sei. Das Haus existierte für sie nicht mehr, seitdem der Zauber der Vorräte nicht mehr da war. Und Erica tat nichts anderes als nachdenken, auf dem Wort beharrend, gebannt vor diesem Wort stehend, das an sich nichts bedeutete, aber dennoch viel sagte über die Art der Männer, auch der Väter, mit den Frauen umzugehen.

Sie konnten verachten und verfolgen, die Männer. Böses tun und hochmütig sein und nicht von Güte sprechen. Hochmütig, stolz, konnten sie sich bisweilen in irgendeiner Sache, auf irgendeine Weise, für schlecht erklären und unter dem Banner einer eingestandenen Schlechtigkeit kämpfen. Sie glaubten, das sei männlich. Daher dachte Erica, daß man vielleicht von den Männern diese gewisse

Arbeit bekommen konnte, die sie wollte und die Schlechtigkeit war. Von den Männern, dachte sie.

Und während sie nachdachte, hörte sie, wie sie es jeden Tag hundertmal zu hören bekam, draußen das peitschende Wort der Männer zischen, das wirkliche, lebendige. In ihrem Geist war es ein Stein gewesen und jetzt, in diesem Zischen, wurde es ein Stein, der umstürzte und plötzlich sehen ließ, was er unter sich verbarg. Erica erinnerte sich an manches. Ihr noch kindliches, unbeteiligtes, unbestimmtes Bewußtsein von den Dingen dieser Welt wurde zu bösen Erinnerungen. Erica wägte diese Erinnerungen ab. Und sie glaubte, gefunden zu haben, was sie wollte: die Arbeit, die Schlechtigkeit war und einzig und allein und unmißverständlich ein Brotverdienst. »Ja«, dachte sie, »ich weiß, was ein Mädchen tun kann, wenn es sich in meiner Lage befindet.« Sie holte ein altes rotes Samtband hervor, knüpfte es sich um Nacken und Scheitel, und lehnte sich ans Fensterbrett.

Es war das Brett des Fensters, das auf die Straße ging; es war kalt, wie immer herrschte eine graue Kälte von verborgenem Eis; es dämmerte; und sie wußte, was es bedeutete, mit einem Band im Haar so dazustehen. Männer würden kommen, und es würde schrecklich sein, blutig; aber eben weil es schrecklich und blutig war, würde es eine Art zu leben und sich den Lebensunterhalt zu verdienen sein. Daran konnte es keinen Zweifel geben. Niemand würde je glauben können, ihr Gutes zu tun, indem er tat, wovon sie noch nicht genau wußte, was es war, wohl aber, daß man es verurteilte, daß es als schlecht galt, als offenkundig, heillos schlecht.

XIX

Es dämmerte. Von der Kirche auf dem Platz klang das ab-
gehackte Angelusläuten herüber. Das Grau des unsichtbaren Eises war auch grau vom nahenden Abend. Und auf
der Straße, wo Erica mit dem roten Band im Haar am Fensterbrett stand, fuhr rasch ein Mann auf einem Fahrrad
vorüber.

Die Straße stieg vom Platz aus an, sie hatte keine Läden, es waren nie viele Menschen auf ihr zu sehen, und
oben endete sie zwischen den entlaubten Bäumen einer
alten Allee. Der Mann auf dem Fahrrad fuhr vorüber,
rasch, weil es bergab ging, und Erica dachte an die Jungen,
die manchmal auf ihren Rädern um sie herumgestrichen
waren. Sie seufzte, verjagte den Gedanken an sie. Aber bevor sie ihn ganz verjagt hatte, war sie froh, daß der Mann
auf dem Fahrrad sie nicht bemerkt hatte. Sie sah hinunter
zum Platz, sie sah hinauf zu den weißen Bäumen der Allee, und sie fühlte, wie ihr die Kälte in die Knochen drang.
Sie dachte an die Schwester und an den kleinen Alfredo,

die, wer weiß wo, in anderen Teilen der Kälte spielten, sie wunderte sich darüber, daß sie ganze Nachmittage lang im Freien in der Kälte spielen konnten. Sie kannte Orte für Spiele oben in der Allee und auf dem Platz, das Holzlager, den Torgang der Reitbahn, die Stufen des Brunnens, aber sie wußte, daß sie offen in der Kälte lagen, und wunderte sich darüber, daß die Kinder dort spielen konnten, sie wußte nicht mehr, daß sie selbst einmal gespielt hatte, ohne der Kälte gewahr zu werden. Das kam daher, daß sie vielleicht dachte, sie hätte, wenn ihnen, den Kindern, kalt wäre und sie sich im Haus aufhielten, ihren Vorsatz nicht ausführen können. Und vielleicht hatte sie auch den Wunsch, daß die Kinder die Kälte spürten, sich ins Haus flüchteten und sie an der Ausführung eines solchen Vorsatzes hinderten. Sie fühlte jedenfalls, daß ihr kalt war und daß sie, wenn diese Männer, die Männer, nicht bald kämen, das Fenster schließen und sich ein wenig unter der Decke wärmen mußte, im Bett.

Dabei dachte sie, daß, nach allem was sie von den menschlichen Dingen wußte, auch die Männer *Bett* bedeuteten. Aber sie ahnte sogleich, daß dies eine Bedeutung war, welche die andere desselben Wortes, die ihr lieb war, zerstören konnte. Und sie entschied, daß sie sich auf eine solche Gefahr nicht einlassen durfte. Auch das Haus, dachte sie, konnte zerstört werden. Daher beschloß sie, die Männer über die innere Holztreppe hinaufzuführen, damit sie oben verrichteten, was sie zu verrichten hatten, an dem Ort mit der Tür, die sich ins Leere öffnete und der bis vor wenigen Tagen noch ein Ort der Lagerhäuser und Gruben gewesen war. Da oben, das war nicht das Haus. Dort war die Henne gewesen mit ihrem Schmutz und Gegacker. Und als Bett, das sie brauchten, in dem Sinn, den Bett für die Männer hat, gab es das Lager, das sie sich dort einmal für ihre verträumten Gedanken zurechtgemacht hatte. Es war schon eine Weile her, dachte sie, daß ihr dieses Lager nichts mehr bedeutete. Und so beschloß sie es auch, was die kleinen Dinge betraf, so einzurichten, daß die Männer bei ihrem Tun gebrauchten, was ihr nichts bedeutete, so als hätte sie auch für sich selbst entschieden, dem Tun der Männer einen Teil von sich preiszugeben, der ihr nichts bedeutete.

Aber hier kamen wieder Männer, zwei Männer. Sie stiegen vom Platz herauf und unterhielten sich laut, einer schob sein Fahrrad mit der Hand den Hang herauf.

Sie gingen vorbei. »Verdammt!« dachte Erica. »Aber warum kommt ihr nicht und beeilt euch?« Wieder fühlte sie, daß sie nicht mehr lange in der Kälte ausharren konnte.

Doch ein anderer Mann kam die Straße herunter und ging an den beiden vorbei: es war ein Soldat. »Heda!« sagte er.

Er sprach, und Erica sah, daß er zu ihr sprach. Und sie dachte: »Beeile dich!« Sie spürte nun, wie sie vor Kälte zitterte.

»Heda«, fuhr der Soldat fort. »Was willst du da fangen? Spatzen?« Er war schon vorbeigegangen und wandte sich um, während er sprach, dann drehte er sich nicht mehr nach ihr um. Seine Schritte, durch den Hang beschleunigt, verhallten auf dem Platz hinter der Ecke, und Erica dachte, er habe mit ihr gesprochen, weil er sie vielleicht kannte.

Aber sie dachte auch, daß oben in der Allee die Kaserne stand, daß es die Zeit war, in der die Soldaten Ausgang hatten, daß dieser Soldat der erste war und am schnellsten gegangen war, daß nun die anderen vorbeikommen mußten: andere und wieder andere. Sie glaubte, die Kälte nicht mehr aushalten zu können und sich zurückziehen und das Fenster schließen zu müssen. Es fröstelte sie. Die Männer würden also Soldaten sein, dachte sie. Und sie sah eine ganze Gruppe von ihnen, die eben herunterkam.

Unterdessen stieg eine Frau, ein Fräulein, vom Platz herauf. Sie war gut gekleidet, vielmehr elegant herausgeputzt, sie schien eine aus einem Geschäft oder Büro zu sein. Im Vorübergehen musterte sie Erica mit einem ironischen Blick. Erica verstand, daß sie verstanden hatte, und sie fand es seltsam, daß eine Frau so unfehlbar imstande war zu verstehen, während schon vier Männer nicht verstanden hatten. Aber sie hatte keine Zeit, sich allzusehr darüber zu wundern. Das Fräulein begegnete den Soldaten auf halber Höhe der Straße, und das nahm ihre ganze Aufmerksamkeit in Anspruch, denn die Soldaten lachten und alberten um die junge Frau herum. Die gab ihnen eine schroffe Antwort und ging weiter. Die Soldaten lachten schallend im Chor. Und Erica dachte, vielleicht hatte ihnen das Fräulein gesagt, daß sie weiter unten finden könnten, was sie brauchten.

Aber sie dachte auch, daß es so besser war. Daß die Männer Soldaten waren. Die Gruppe kam mit lässigen, breitbeinigen Schritten herunter: vier oder fünf Soldaten, die gut sichtbar und beinahe voll Stolz zur Schau trugen, was die Männer an Blutigem und Bösem haben. Ein Mann, der kein Soldat war, kam auf der anderen Seite vorüber, er war hinter der Ecke des Platzes aufgetaucht und ging an der Mauer entlang, sein Blutiges und Böses in sich verborgen, unter seinem Rock mit hochgeschlagenem Kragen. Und Erica dachte, es sei besser, mit dem anstößigen und offenen Bösen dieser Soldaten zu tun zu haben als mit dem geheimnisvollen Bösen eines Mannes, der kein Soldat war. Aber beeilt euch! Beeilt euch! dachte sie.

Die Soldaten-Männer waren auf der Höhe ihres Fensters angekommen, und sie dachte: »Ich muß sie ansehen.« – »He, was für ein Püppchen!« sagte einer der Soldaten. Ein anderer begann zu trällern: »Kleine Braune, kleine Braune, was für Augen, was für Augen …«

Das war die Art der Soldaten, die Erica schon kennengelernt hatte, als sie noch nicht daran gedacht hatte, sich mit ihnen einzulassen. Sie kannte sie und konnte sie ertragen. Und ihr Blutiges erschien ihr deshalb weniger blutig, so wie jemandem der Gedanke, im Krieg zu fallen, weniger kalt und schrecklich erscheinen mag als der Gedanke, bei einem privaten Mord getötet zu werden.

»Ich denke mir, daß ihr rohes Fleisch gefällt«, sagte ein dritter.

Aber der vierte sagte: »Ja, seht ihr denn nicht, daß das ein Kind ist?«

Sie gingen alle zusammen weiter, sich breitbeinig wiegend mit ihren langen Schritten. Und sie hänselten und streichelten einander und gaben sich im Scherz Frauen- oder Hundenamen, Lulu und Fifi.

Unterdessen kam eine Gruppe von drei Sergeanten. Erica sah sie vorbeigehen, während sie noch der ersten Gruppe nachblickte. Drei Sergeanten. Sie waren schon vorüber, und plötzlich sah sie, daß sie stehenblieben.

Der Sergeant in der Mitte war stehengeblieben, die beiden anderen waren durch sein Stehenbleiben angehalten worden, und Erica sah, daß der Mann nachdachte. »Merkwürdig«, dachte der Mann. »Ich möchte wissen, was dieses Mädchen macht, daß es sich so der Kälte aussetzt.« Er hatte sich umgedreht und betrachtete sie forschend. Es entging ihm nicht, daß ihre Augen sich zwangen, ihn anzusehen. »Dieses Mädchen will etwas«, dachte er. Und unter dem Blick, den Erica sich offenbar auf ihn zu richten zwang, dachte er eitel: »Aber ja. Von mir will sie etwas.«

Da sah Erica, wie das Böse und das Blutige, mit dem er sich offen brüstete, einen Funken von Verstehen in seinem Sergeantenhirn zündete. Der Mann hatte begriffen, und die Kälte war nun tödlich. »Wartet«, sagte der Sergeant zu seinen beiden Kameraden.

Und nicht nur seine beiden Kameraden warteten. Auch die erste Gruppe von Soldaten, die schon unten auf dem Platz angekommen war, war stehengeblieben und hatte kehrtgemacht und wartete und schaute. Und die unten und die beiden Sergeanten bildeten mit ihren Gehirnen eine einzige Gruppe boshafter, blasphemischer und schon neidischer Neugier. Sie sahen den Sergeanten streicheln, berühren, und dann sahen sie, wie er durch das Fenster einstieg. Und alle dachten, was einer mit einem Fausthieb gegen den Schenkel laut sagte: »Verdammt, die hätte mir gutgetan.«

XX

Im Hof erfuhr man bald, nach kaum zwei oder drei Tagen, worauf sich Erica eingelassen hatte. Die erste, die es bemerkte, war das dicke Mädchen, und sie dachte: »Unglückliche!« Aber sie behielt die Entdeckung für sich. Nach und nach bemerkten es die Arbeiterfrauen; und einige waren ihrer Entdeckung sicher, andere blieben im ungewissen, so als könnte die Sache zwar dem ähnlich sein, was sie zu sein schien, aber doch nicht das, was sie offenbar war. Sie dachten daher »Unglückliche!« und behielten die Entdeckung für sich. Und sie dachten an die Mutter, die Ursache für dieses Unglück eines Kindes war, sie urteilten und verurteilten, fühlten aber nicht das Bedürfnis, darüber zu sprechen. Die anderen Frauen, sogar die Frau des Steuerbeamten, sogar die alte Frau des Eisenbahners, waren nicht weniger stumm als die Arbeiterfrauen. Auch sie dachten »Unglückliche!«, weil es sich um ein Kind handelte. Aber in einem Teil ihres Gehirns dachten sie auch, daß ihr recht geschah. Und die Frau des

Eisenbahners dachte, wenn Erica käme, um ihre Gans zu holen, würde sie das Mädchen jetzt mit Stangenschlägen davonjagen können. Es geschieht ihr recht, dachten sie. Aber auch sie hatten nicht das Bedürfnis, darüber zu sprechen.

Was dieses mangelnde Bedürfnis, darüber zu sprechen, anging, gab es nur geringe Unterschiede zwischen den Arbeiterfrauen und den anderen. Es war ein alter Brauch von ihnen, nicht zu sprechen, nicht zu zeigen, daß man solche Dinge bemerkte, in diesem und in allen anderen Höfen, durch die sie gekommen waren und wo sie immer Dinge dieser Art gefunden und sie immer akzeptiert hatten, die einen mit demütiger Hinnahme dessen, was das ständige Unglück der Armut sie wohl für sich selbst zu fürchten gelehrt hatte, die anderen nicht mehr und nicht weniger, als sie den Schmutz, den Gestank und die Schauspiele des Elends des Hofes hinnahmen. Es gab Witwen, die einen Mann im Haus hatten, ohne noch einmal geheiratet zu haben, und Mädchen, die, ohne jemals geheiratet zu haben, von ihrem Giulio, von ihrem Edoardo sprachen (einem Giulio, einem Edoardo, von dem sie freilich nur die Schultern und den Nacken kannten) wie eine verheiratete Frau von ihrem Ehemann sprechen konnte. Und es gab die eindeutigen Fälle, in denen man wirklich sagen konnte: »Die Mistkarre ziehen«, zum Beispiel den Fall Gildas, eines Mädchens, das eine Türnachbarin der Eisenbahnerin war und jede Nacht mit einem Mann schlief, immer mit einem anderen, der mit ihr zusammen ankam wie ein Verwandter, den sie von einem Bahnhof abgeholt hatte. Und die Vorurteilslosigkeit, mit der man die eine Art der Dinge gelten ließ, trug viel dazu bei, auch die andere Art zu akzeptieren, die verworfene, schmutzige. Erstere, bei der man eben »keine langen Umstände machte«, gewöhnte einen auch an letztere, von der man wußte, daß sie eine Wirklichkeit des Unglücks war. Aber während man über die erstere redete und diskutierte, klatschte und lachte, bewahrte man über die letztere Stillschweigen, man gab vor, nicht zu verstehen, ja man tat geradezu so, als betrachtete man sie als eine Spielart der ersteren.

Sie erkannten, daß sie eine Wirklichkeit des Unglücks war, akzeptierten sie als solche und eben darum als völlig natürlich und verständlich; aber sie mochten nicht zeigen, daß sie sie als solche begriffen. Sie akzeptierten sie deshalb, ohne darüber zu sprechen. Sie dachten: die Unglücklichen! und waren still und behielten alles für sich.

So blieben sie auch im Falle Ericas, obwohl es sich beinahe noch um ein Kind handelte, stumm und behielten alles für sich. Ja gerade weil es sich beinahe noch um ein Kind handelte und weil sie die lange Agonie mit angesehen hatten, die zu diesem Unglück geführt hatte, blieben sie stummer denn je. Sie senkten den Kopf, wenn sie »die Unglückliche« dachten. Sie fühlten sich ein wenig schuldig, so als hätten sie die Sache auf irgendeine Weise verhindern oder zumindest verzögern können. Es fiel ihnen leicht, alles auf die Mutter abzuwälzen und zu urteilen und zu verurteilen, aber dennoch war und blieb ihr

Schweigen ein Schweigen mit gesenktem Kopf. Um so mehr, als sie Erica in einem gewissen Sinne dankbar dafür waren, daß sie sie von der Sorge, was sie tun werde, befreit hatte. Nun hatte Erica gehandelt, das Problem ihres Hungers war gelöst, und die im Hof brauchten nicht mehr wegen einer Lösung in Sorge zu sein. Der Sterbende war gestorben, man brauchte nicht mehr auf Zehenspitzen zu gehen. Und wenn der Sterbende gestorben war, anstatt zu genesen, so konnte man immer jemandem, einer Mutter, die Schuld zuschieben.

Die Frauen betrachteten Erica bestürzt über das Unglück, den Tod, aber im Grunde ihres Herzens voller Erleichterung darüber, daß es das Problem ihrer Rettung nicht mehr gab, das beunruhigte, das zum Nachdenken zwang. Nach und nach begannen sie, sie wieder neugierig zu beobachten, auf die gleiche unbeteiligte Weise wie in den ersten Tagen nach der Abreise der Mutter, als Erica das Haus voller Vorräte hatte. Und sie sahen, wie taktvoll, wie schamhaft sie ihrem Gewerbe nachging; und wußten das zu schätzen. Sie sahen, wie sehr sie darauf achtete, die Augen und Ohren der Rechtschaffenen nicht zu beleidigen; wie sie alles sorgfältig vertuschte, wie sie darauf bedacht war, die Spuren sich nicht ausbreiten und Wurzeln schlagen zu lassen.

Offenbar wollte sie nicht (vielleicht wegen der Schwester und des Brüderchens, die Unglückliche!), daß im Hause selbst Spuren zurückblieben. Und sie tat es in dunklen und doch nicht späten Stunden, in den letzten des

Nachmittags und den ersten des Abends, gewissermaßen in den Stunden, in denen jedes Mädchen, wenn die Hausarbeit getan ist, einen Spaziergang macht, um zum Abendessen wieder daheim zu sein. Sie tat es nur in diesen Stunden. Nie während des übrigen Tages, nie später. Sie behielt die Männer nicht über Nacht bei sich. Sie schlief immer noch bei der Schwester und dem Brüderchen, als Unschuldige. Und den ganzen Tag über kümmerte sie sich um das Haus als braves Hausmädchen; unschuldig. Außer in den drei dunklen Stunden, die sie für ihre Mädchenvergnügungen hätte nutzen können: um auf einen Bummel zu gehen, ins Kino, zu einer Verabredung als Verliebte wie so viele Mädchen. Ja, sie war wirklich brav und verständig! Und niemandem hatte sie den Hauseingang gezeigt. Sie ließ sie durchs Fenster einsteigen. Sie wollte auch nicht, daß gelärmt wurde. Man hörte nicht das Geringste von ihrem Treiben. Und man fand es ungewöhnlich, daß die Männer, grobe Soldaten, die sie doch waren, auf diese Verschwiegenheit eingingen. Aber vielleicht gefiel sie ihnen, als Geheimnis, vielleicht fanden sie Geschmack am Heimlichen; und, wer weiß, vielleicht zogen sie sich sogar die Schuhe aus, um im Dunkeln durch das Haus zu gehen, hinauf in die kalte Bodenkammer, in die sie das Mädchen führte.

In diesen zwei, drei Stunden waren die Frauen voll gespannter weiblicher Neugier und spähten und hatten gewiß große Lust, Dinge zu sehen, zu hören, die sie empören könnten, aber dann schätzten sie Erica dafür, daß sie nichts hatte hören, daß sie nichts hatte sehen lassen. Nichts anderes konnten sie jemals sehen als Erica am Fenster mit dem Band im Haar und dann das winzige Licht eines Streichholzes, das einen Augenblick im Dunkel des oberen Zimmers brannte, jedesmal davor und danach, dachten sie. Sie dachten an den Mann und an die Sache mit dem Mann zwischen dem Aufflammen dieser beiden Streichhölzer; und ihre Neugier zitterte und erlosch. Unglückliche, dachten sie dann mit erloschener Neugier, und sie waren beruhigt in jeder Hinsicht, auch was ihre Ehemänner und Söhne, ihre Männer, anging, die, so meinten sie, durch dieses Brennen der Streichhölzer nie begreifen würden, was Erica war.

XXI

Für sie stellte das, was sie war, natürlich kein Problem dar. Sie dachte nicht: Ich bin ... Sondern nur: Ich tue ... Und das immer nur in bezug auf die drei Stunden, in denen sie es tat. Im übrigen war sie ein Mädchen mit einem Haus und einer Schwester und einem Brüderchen, und sie sorgte für sich und die beiden und putzte, fegte, kochte. Sie lebte voll Lebensernst, wie sie zur Zeit ihres Glaubens an die Vorräte gelebt hatte. Der Unterschied war, daß sie jetzt arbeitete, zwei, drei Stunden am Tag, um sich ihren Lebensunterhalt zu verdienen.

Daran hatte sie keine Zweifel. Sie wußte genau, daß es unmißverständlich Arbeit für den Lebensunterhalt war. Und sie wußte es jeden Tag besser. Sie wußte, daß es eindeutig das Böse in den Männern war, das sie zu ihr führte: daß es eindeutig die Schlechtigkeit des eindeutigen Egoismus war, das Bedürfnis, einen Egoismus zu befriedigen, die nackte Forderung nach gemeinen Dingen für den Triumph des Bösen in ihnen. Und sie wußte, wie hart und schmerzhaft ihr Dienst für das Böse in ihnen war, nicht eigentlich Mühe und doch auf furchtbare Weise Schweiß, eine schreckliche Verlassenheit und Leiden, körperliches Leiden.

Beim erstenmal, mit dem Sergeanten, hatte sie geglaubt, man schneide ihr mit einem Messer ins lebende Fleisch. Die ganze Zeit hatte sie im Dunkeln gedacht: Aber was macht er mit mir? Aber was macht er mit mir? Und sie hatte körperliche Tränen einer Kreatur geweint, die einen Schnitt erleidet, zitternd, schaudernd bei dem Gedanken an das Messer. Nichts anderes als das hatte sie gespürt: den Schmerz einer Klinge, von etwas Dunklem, Schneidenden, das sich ein Loch in ihr öffnete. Warum so? hatte sie gedacht. Aber durch eben den Schmerz hatte sie die volle Bestätigung dafür erhalten, daß das, was sie tat, mit sich tun ließ, wirklich eine Arbeit für den Lebensunterhalt war. Und sie hatte die Tränen mit einer Art von stolzer Freude geschluckt, wegen des spontanen materiellen Beweises, den sie ihr für das empfangene Böse gaben, und für ihren Brotverdienst durch dieses Böse als absolute und unmißverständliche Arbeit für den Lebensunterhalt.

Dann hatte sich der Sergeant eine Zigarette angezündet, er war im Licht des Streichholzes als unverkennbar zufrieden mit sich selbst erschienen, weil er verwundet, Tränen entlockt, getötet hatte; und er hatte gesagt: »Brave Kleine!« Brave, weil sie ihm die Gelegenheit gegeben hatte, etwas Böses zu tun? Und als sie die glatte Fünfliremünze fest in der Hand halten konnte, die ihr der

Sergeant gegeben hatte, glaubte Erica, in der Münze die eigenen Tränen und nichts als die eigenen Tränen zu umschließen, stille Kilogramme von Tränen, die durch ihren ganzen Körper destilliert worden waren zu einer winzigen, aber tönenden und mächtigen Münze, die imstande war zu klingeln.

So war es beim erstenmal gewesen, und so war es immer. Tränen leidender körperlicher Unduldsamkeit, die zu Münzen destilliert wurden. Sie war schon eine Frau, sie hätte schon ein Kind haben können, aber es schien ihr so, als wäre es nicht eine Frauensache, sondern etwas Grausames, weit entfernt von jeder Ähnlichkeit mit dem natürlichen Vorgang. Und als sie zum zweitenmal, am zweiten Tag, zitternd vor körperlicher Angst, aber fest in der Gewißheit ihres Tuns, ans Fenster getreten war und Sergeanten und Soldaten vorgefunden hatte, die schon auf sie warteten, und sie sich mit einem von ihnen, dem raschesten, in das Dunkel des oberen Zimmers zurückgezogen hatte, um sich wieder auf das rauhe Lager aus Stroh und Säcken zu legen, war Erica gleichsam darauf vorbereitet, einen neuen Schnitt an einer anderen Stelle ihres lebenden Fleisches zu erleiden, so als müßte ein Mann jedesmal zu seinem Triumph ein neues Loch des Schmerzes in sie schneiden; und sie war überrascht, daß es nicht so war, daß der Mann in die Schnittwunde des anderen schnitt und das Böse, das er tat, dem Bösen, das der andere getan hatte, hinzufügte: voll Entsetzen überrascht, weil das ein noch größeres Böses war, in dem sich das noch nicht gestorbene von vorher fortsetzte, und ein in gewisser Hinsicht grausameres Böses, das keine Hoffnung auf Heilung zuließ.

Es gab daher immer Tränen. Und es war immer so: die Wiederholung einer Verwundung in einer Wunde, die sich daher niemals schließen und zuheilen konnte. Es gab keinen neuen Schmerz mehr, aber es war nicht so, als hinderte sie der ganze alte daran, den neuen zu spüren. Es war vielmehr eine Summe, die sich anhäufte und jedesmal das schmerzhafte Bewußtsein steigerte, in einer Wunde gebraucht zu werden, und die Wunde selbst unerträglicher machte. Erica glaubte, an jener Stelle grauenhaft geschwollen zu sein, und wagte nicht einmal, sich zu berühren. Sie weinte, und dann hatte sie die Münze, und dann schien ihr, als sammelte sich an jener Stelle das tote Gewicht all dessen, was jedesmal von der Destillation ihrer Kilogramme von Tränen in eine federleichte Münze übrigblieb. Und so lastete an jener Stelle auf ihr der ganze tote und wertlose, nutzlose Rest der Tränen, die vergossen wurden beim Gewinn der Münze. Und sie glaubte, an jener Stelle eine Mißbildung zu haben, ungefähr so wie die Menschen, die in den Kuriositätenkabinetten ihre Mißbildungen zur erbarmungslosen Erheiterung der Leute zur Schau stellten. So kam es, daß sie glaubte, ihre Art, sich den Lebensunterhalt zu verdienen, sei von derselben Art wie die der Männer, Frauen und Kinder, die sich marterten oder Feuer schluckten, um die Leute zu unterhalten. Sie erinnerte sich an die Schrecken einer ähnlichen Art, sich den Lebensunterhalt zu verdienen, verkörpert in einem Mädchen, das sie gesehen hatte und das sich lächelnd enthaupten ließ und dessen blutiger, lächelnder Kopf auf einem Tablett umhergetragen wurde. Und sie dachte, daß sie sei wie sie. So bin ich also, dachte sie. Sie war zu jung, um eine normale Arbeit verrichten zu können, ohne sie von der Güte der Menschen zu borgen; sie mußte eine abnormale verrichten, und so tat sie eine, die so schrecklich war wie die jenes Mädchens. Aber sie hatte den Verdacht, daß ihre Arbeit noch ein wenig schrecklicher war, als sich enthaupten zu lassen. Denn jenes Mädchen lächelte vom blutbefleckten Tablett herab, während es niemals vorkam, daß sie nicht weinte.

XXII

Außerhalb der Arbeit war sie jedoch vollkommen ruhig. Auch wenn sie an die Arbeit dachte, außerhalb der Arbeit, war sie ruhig. Sie ging, gleich das erstemal, sofort mit der Münze über den Hof und den Platz und betrat das große, hell erleuchtete Geschäft der Genossenschaft. Sie warf die Münze auf den großen marmornen Ladentisch, und die Münze klingelte, wie sie es versprochen hatte. »Hoch!« klingelte sie. Und die Verkäufer schauten.

Erica wußte nicht, was sie nehmen sollte. Sie hatte nicht einmal Hunger. Was sie wollte, war einfach, das Geld ausgeben, kurz, seinen Wert für die Welt der Vorräte auf die Probe stellen. »Hoch!« wiederholte sie in ihrem Innern, und plötzlich fühlte sie sich voller Frieden.

»Sie wünschen, mein Fräulein?« fragte ein Verkäufer. Die anderen schauten und bedienten andere. Und alles klingelte im Laden (die Kasse, die Waagen, die Büchsen, die von den jungen Männern aufgestapelt wurden) und begrüßte ihren Eintritt in die friedvolle Welt der Vorräte.

Erica suchte mit den Augen die Regale ab. »Ich möchte …« sagte sie. Dann entschloß sie sich: »Etwas in einer Dose…«

»Sardinen?« schlug der junge Mann vor.

»Ja, Sardinen!« rief Erica, und ihr war zumute, als wären Sardinen ein Traum ihres Lebens gewesen und als könnte sie nicht glauben, welche haben zu dürfen.

Sie war verblüfft, als sie sah, daß man ihr mit der Dose einen Rest herausgab. »Ah, nein!« rief sie und schob die Münzen zurück. Sie wollte lieber Dinge haben, und ihr Blick fiel auf das große Kristallglas mit dem Kaffee; sie bestellte Kaffee.

Eine Frau unter den Leuten, die dort einkauften, fragte sie: »Hast du eine Postanweisung von deiner Mama bekommen, Erica?«

»Aber nein«, antwortete Erica. »Das ist Geld, das ich verdient habe.«

Die Antwort klang zu heftig, als daß die Frau noch hätte weiterfragen können, und alle sahen Erica nach, wie sie hinausging. Sie merkten, daß sie mit langen Beinen ausschritt.

Florenz 1936

Grüße aus Italien!
Wagenbachs *andere* Taschenbücher

Elio Vittorini   *Gespräch in Sizilien*

Dieser Roman machte Vittorini berühmt, er ist eine Huldigung an die
Menschen und die Landschaft seiner Geburt: Sizilien.
»Das schönste Buch aus Italien.«   Ernest Hemingway

Aus dem Italienischen von Trude Fein
WAT 333. 184 Seiten

»Es fällt schwer, von sich selbst zu sprechen, aber es ist schön.«

Natalia Ginzburgs Leben in Selbstzeugnissen: autobiographische Texte
und bisher nicht übersetzte Interviews, in denen die reife Natalia Ginzburg über ihr Leben und Arbeiten reflektiert.

Zusammengestellt und aus dem Italienischen von Maja Pflug
WAT 414. Deutsche Erstausgabe. 128 Seiten

Natalia Ginzburg   *Die Familie Manzoni*

Natalia Ginzburgs Dokumentarroman über den Autor von *Die Verlob-
ten (Das Brautpaar)*, den großen romantischen Dichter Alessandro
Manzoni, und seine weitverzweigte Familie.

Aus dem Italienischen von Maja Pflug
WAT 413. 456 Seiten mit 20 Bildtafeln

Giorgio Bassani   *Die Gärten der Finzi-Contini*

Mit seinem berühmtesten Roman – der zarten Geschichte einer großen
unerfüllten Liebe und zugleich der Chronik des tragischen Schicksals
des jüdischen Bürgertums in Italien – hat sich Giorgio Bassani einen
Platz in der Weltliteratur erschrieben.

Aus dem Italienischen von Herbert Schlüter
WAT 404. 368 Seiten

Grüße aus Italien!
Wagenbachs *andere* Taschenbücher

Ennio Flaiano   *Melampus*

Erstmals im Taschenbuch: Das Hauptwerk von Ennio Flaiano, das mit
Cathérine Deneuve und Marcello Mastroianni verfilmt wurde.

Aus dem Italienischen von Ragni Maria Gschwend
WAT 402. 160 Seiten

Alberto Moravia   *Ehe Liebe*

Ein Roman über die ewigen Fallen der Liebe in der Ehe: die Eitelkeit
und Bequemlichkeit der Männer und der Hang der Frauen, die Männer
nach innen abhängig und nach außen zu Helden zu machen.

Aus dem Italienischen von Dorothea Berensbach
WAT 401. 144 Seiten

Pier Paolo Pasolini   *Ragazzi di vita*

Das Hauptwerk von Italiens großem Schriftsteller, Filmregisseur und
Ketzer, mit dem er den Verlorenen und Geächteten aus den Elends-
quartieren der römischen Vorstädte ein unvergängliches Denkmal setzte.

Mit einem Nachwort von Umberto Eco
Aus dem Italienischen und mit einer Nachbemerkung von Moshe Kahn
WAT 392. 240 Seiten

Stefano Benni   *Baol*
Die magischen Abenteuer einer fieberhaften Samstagnacht

Eine bitterböse Satire auf die Medien- und Konsumgesellschaft, deren
schwarzer Humor und zynische Phantasie uns das Lachen gleich wieder
austreibt.

Aus dem Italienischen von Jochen Koch
WAT 390. 208 Seiten

Grüße aus Italien!

Wagenbachs *andere* Taschenbücher

Mario Soldati   *Die grüne Jacke*

Mit psychologischer Meisterschaft erzählt Soldati die Geschichte einer
Haßliebe zwischen zwei ungleichen Musikern: der eine, hochbegabt,
erfolgreich und eitel, der andere ein armer kleiner Pauker.

Aus dem Italienischen von Fritz Jaffé
wat 381. 128 Seiten

Luigi Pirandello   *Mattia Pascal*

Die phantastische Geschichte der doppelten Existenz von Mattia Pascal
ist nicht nur der Anfang von Pirandellos großem Erfolg, sondern steht
auch am Beginn der modernen italienischen Literatur.

Aus dem Italienischen von Piero Rismondo
WAT 379. 288 Seiten

Italo Calvino   *Das Schloß, darin sich Schicksale kreuzen*

Calvino entwirft mit alten Tarockkarten seine an Wundern und Über-
raschungen reiche Welt: Könige, Alchimisten, Gaukler, Damen, Lady
Macbeth, Parsifal, Lear, Faust – sie alle sitzen am Tarocktisch und erzählen ihre Geschichte.

Aus dem Italienischen von Heinz Riedt
WAT 378. 144 Seiten

Alberto Moravia   *Agostino*

Der kurze brillante Roman *Agostino* behandelt die großen Themen Mo-
ravias: Die Gewalt der Sexualität, die Macht des Geldes und die frag-
würdige Moral des Bürgertums.

Aus dem Italienischen von Dorothea Berensbach
WAT 377. 128 Seiten

Grüße aus Italien!
Wagenbachs *andere* Taschenbücher

Tommaso Landolfi   *Zwei späte Jungfern*

Über das Zusammenleben zweier Schwestern mit einem Affen, der den Altar der heimischen Kirche schändet und dafür die Inquisition zu spüren bekommt.

Aus dem Italienischen von Heinz Riedt
WAT 376. 112 Seiten

Dacia Maraini   *Zeit des Unbehagens*

Kühl und genau, in beinahe Ginzburgscher Trockenheit folgt Dacia Maraini dem Weg einer jungen Frau, die langsam beginnt, ihr Leben selbst in die Hand zu nehmen.

Aus dem Italienischen von Heinz Riedt
WAT 375. 192 Seiten

Giorgio Manganelli   *Lügenbuch*

Die närrischsten und wildesten Texte des großen Lügenerzählers Manganelli, bereichert durch zwei Interviews mit dem Autor über Schreiben und Leben sowie zahlreiche Bilder und Karikaturen.

Herausgegeben von Klaus Wagenbach. Mit Zeichnungen von Tullio Pericoli
WAT 374. 160 Seiten

Luigi Malerba   *Die Schlange*

Nicht nur ein komischer und nie ganz geheurer Roman, sondern zugleich auch eine der schönsten literarischen Beschreibungen der Stadt Rom und ihrer Bewohner.

Aus dem Italienischen von Alice Vollenweider
WAT 373. 168 Seiten

Grüße aus Italien!
Wagenbachs *andere* Taschenbücher

Anna Maria Ortese   *Iguana. Ein romantisches Märchen*

Orteses Märchen vom jungen Grafen und der Echse in Frauenkleidern ist eine unerhört aktuelle Parabel: Die Trennung zwischen Mensch und – unterdrückter – Kreatur ist nicht mehr rückgängig zu machen, der Garten Eden auf immer verloren.

Aus dem Italienischen von Sigrid Vagt
WAT 372. 208 Seiten

Carlo Emilio Gadda   *Die Erkenntnis des Schmerzes*

Gonzalo lebt mit seiner Mutter in einem halbfeudalen Landhaus. Er hat es auf ihren Besitz abgesehen, und als sie tot aufgefunden wird, gerät der Sohn in Verdacht.

Aus dem Italienischen von Toni Kienlechner
Mit einem Nachwort von Hans Magnus Enzensberger
WAT 371. 336 Seiten

Umberto Eco   *Mein verrücktes Italien*

»Das Schöne daran, es ist live!« ruft die begeisterte Zuschauerin des Palio in Siena. Im Hintergrund schreibt Umberto Eco mit – der Zeichentheoretiker entziffert die Zeichen seines Landes.

Aus dem Italienischen von Burkhart Kroeber
WAT 370. 128 Seiten

Schreiben Sie uns eine Postkarte – wir schicken Ihnen gerne unseren jährlichen Almanach »Zwiebel«, der Sie über das Programm informiert. *Kostenlos, auf Lebenszeit!*

Verlag Klaus Wagenbach   Emser Straße 40/41   10719 Berlin